D0714426

COLLECTION FOLIO

John Steinbeck

Rue
de la Sardine

Traduit de l'anglais
par Magdeleine Paz

Gallimard

Titre original :

CANNERY ROW

Steinbeck est né non loin de Monterey, où se déroule ce roman, à Salinas, en 1902. D'origine allemande et irlandaise, il a grandi dans une famille typiquement américaine, laborieuse et provinciale : son père était fonctionnaire et sa mère institutrice. Après ses études secondaires, il fait les métiers les plus divers pour payer ses études à l'Université de Sandford. Il passe quelques mois à New York comme reporter, mais souffre de l'atmosphère de la ville et retourne en Californie. Il trouve un emploi de gardien d'une maison isolée dans les montagnes près du lac Tahoe. Dans le calme de l'hiver il écrit *La Coupe d'or*, qui est publié en 1929. Encouragé, il décide de se consacrer à la littérature. En 1935 paraît *Tortilla Flat*, en 1939 *Des souris et des hommes*. *Les Raisins de la colère*, en 1939, est considéré comme le plus grand roman décrivant la crise sociale qui sévissait à l'époque. Ces romans s'adaptent merveilleusement au cinéma, ce qui apporte à Steinbeck un surcroît de célébrité. Le Prix Nobel couronne son œuvre en 1962. Il meurt en 1968.

*La Rue de la Sardine, à Monterey en Californie,
c'est un poème; c'est du vacarme, de la puanteur, de
la routine, c'est une certaine irisation de la lumière,
une vibration particulière, c'est de la nostalgie, c'est
du rêve. La Rue de la Sardine, c'est le chaos. Chaos de
fer, d'étain, de rouille, de bouts de bois, de morceaux
de pavés, de ronces, d'herbes folles, de boîtes au rebut,
de restaurants, de mauvais lieux, d'épiceries bondées
et de laboratoires. Ses habitants, a dit quelqu'un: « ce
sont des filles, des souteneurs, des joueurs de cartes et
des enfants de putains »; ce quelqu'un eût-il regardé
par l'autre bout de la lorgnette, il eût pu dire: « ce sont
des saints, des anges et des martyrs », et ce serait revenu
au même.*

*Le matin, quand la flotte sardinière a rencontré un
banc, et que les barques chargées de filets tanguent lourdement dans la baie, les sirènes donnent. Les bateaux
enfoncés très bas se poussent vers la côte, du côté des
conserveries qui trempent leur queue dans la baie. Leur
queue — c'est leur queue qu'il faut dire — car si c'était
leur gueule, qu'elles plongeaient dans la mer, les sardines qui sortent en boîtes, à l'autre bout, seraient encore
moins appétissantes. Le sifflet des usines se met à hululer:
hommes et femmes sautent sur leurs vêtements et déva-*

lent tout au long de la rue pour se précipiter vers le travail. D'étincelantes autos passent en trombe, amenant patrons, directeurs et chefs de service qui s'engouffrent dans leurs bureaux. Les Chinois, les Polaks, les filles sortent de la ville: hommes et femmes en pantalons, vestes de caoutchouc et tabliers de toile cirée. La rue tout entière gronde, braille, rugit, et tant que le flot argenté des poissons coule en ruisseaux le long des bateaux, tant que le dernier poisson n'est pas lavé, trié, coupé, cuit, mis en boîte, les usines grondent, braillent et rugissent. Alors, encore une fois, les sifflets retentissent et les Chinois et les Polaks, les hommes et les femmes retournent vers la ville, puants et graisseux. La Rue de la Sardine est alors rendue à elle-même, calme et magique. Elle rentre dans la norme. Les propres à rien, ceux qui se sont retirés dégoûtés sous les cyprès, viennent s'affaler sur les tuyaux rouillés, dans le terrain vague. Les filles de chez Dora mettent le nez dehors, elles essaient de goûter le soleil, s'il y a du soleil. « Doc » sort du Laboratoire Biologique de l'Ouest, traverse la rue, et franchit le seuil de l'épicerie de Lee Chong pour y chercher deux quarts de bière. Henry-le-Peintre flaire les buissons du terrain vague, en quête d'un bout de bois ou de quelque ferraille pour son bateau en construction. Le crépuscule tombe tout doucement, la lanterne s'allume devant la maison de Dora — cette lanterne qui verse un clair de lune intarissable sur la Rue de la Sardine. Les visiteurs de « Doc » arrivent au Laboratoire ; une fois de plus, « Doc » traverse la rue et franchit le seuil de Lee Chong pour y chercher cinq quarts de bière.

Mais... le poème, le vacarme, la puanteur, l'irisation, la routine, le rêve, comment les saisir sur le vif ?

Si vous collectionnez les animaux marins, il vous arrive de rencontrer certains vers plats, si délicats, que nul ne peut les capturer entiers, car ils se cassent à peine touchés. Laissez-les grouiller à leur gré, tendez-leur la lame d'un couteau, puis, tout doucement, soulevez-les et plongez-les dans une bouteille remplie d'eau de mer.

C'est de cette façon-là, sans doute, que ce livre-ci va s'écrire : ouvrons la page, et laissons les histoires grouiller et ramper toutes seules.

I

Si ce n'était pas un modèle de propreté, l'épicerie de Lee Chong était miraculeusement approvisionnée. Elle était étroite, encombrée, mais dans la pièce unique, chacun pouvait trouver de quoi faire son bonheur : des vêtements, des produits d'alimentation — frais ou de conserve — de l'alcool, du tabac, des ustensiles de pêche, des outils, des cordages, des casquettes, des côtelettes de porc. Vous pouviez acheter chez Lee Chong une paire de pantoufles ou un kimono de soie, un verre de whisky ou un cigare. N'importe quelle transaction, vous pouviez la faire ; il pouvait tout accommoder, toutes les fantaisies, tous les goûts. La seule chose qu'il ne fût pas en son pouvoir de procurer, vous la trouviez en face, chez Dora, de l'autre côté du terrain vague.

L'épicerie s'ouvrait à l'aube, et ne fermait que lorsque le dernier vagabond était parti se coucher, après y avoir laissé son dernier sou. Ce n'est pas que Lee Chong fût avare. Oh! non! Il se tenait à la disposition de qui voulait dépenser son argent, c'est tout. Pour autant qu'il était susceptible d'étonnement, sa situation au sein de la communauté le surprenait lui-même.

Car, les années passant, chacun, dans la Rue de la Sardine, se trouvait en dette avec lui. Il ne pressait jamais ses débiteurs : quand la note atteignait un certain chiffre, il coupait simplement le crédit. Le client, généralement, finissait par se mettre en règle, ou du moins s'efforçait de le faire : c'était une telle histoire de monter faire ses achats en ville!

Rond de figure, courtois de manières, Lee Chong parlait un anglais bizarre et ampoulé, ne prononçant jamais la lettre R. Quand les bruits de guerre s'étaient répandus en Californie, sa tête avait été maintes fois mise à prix. Il filait alors secrètement et se terrait dans un hôpital de San-Francisco, jusqu'à ce que la rumeur se fût apaisée. Que faisait-il de son argent? C'était pour tout le monde une énigme. Il n'en avait peut-être pas. Il était fort possible que toute sa fortune consistât dans les notes impayées de ses clients. Riche ou non, il vivait confortablement et, dans le voisinage, unanimement on le respectait. Il faisait confiance aux clients jusqu'aux limites de l'absurde. Il lui arrivait de se tromper, mais il possédait l'art de tirer un profit de tout, même de ses erreurs.

Invariablement, la place de Lee Chong dans l'épicerie se trouvait derrière le comptoir. Le registre de caisse à sa gauche, la machine enregistreuse à sa droite. Les cigares et les cigarettes dans un casier de verre, et toutes les variétés de tabac : le *Bull Durham*, le mélange *Duke's*, les *Five Brothers*. Et, alignés contre le mur, les pintes, les demi-pintes et les quarts de whisky : le *Old Green River*, le *Old Town House*, le *Old Colonel*, et le plus demandé : le *Old Tennessee*, une mixture de quatre mois d'âge — garantis

14

— qu'on appelait à la ronde le « *Old Tennis Shoes* », le « Jus de vieilles chaussures de tennis ».

Ce n'était pas sans de solides raisons que Lee avait choisi sa place entre le whisky et les clients. Car les malins étaient nombreux, qui s'efforçaient de détourner son attention vers d'autres coins de la boutique. Des cousins, des neveux, des fils et des brus assuraient le service dans tous les autres coins. Mais Lee, imperturbable, demeurait rivé au comptoir des cigares, et le dessus de verre lui servait de bureau. Ses délicates petites mains grasses reposaient sur le verre, s'y agitaient comme de mouvantes petites saucisses. Il ne portait qu'un seul bijou : une large alliance d'or au médius de la main gauche ; il s'en servait continuellement pour tapoter la petite rondelle de caoutchouc sur laquelle il rendait la monnaie. Il avait une bouche large et bonne, dont le sourire faisait apparaître de riches éclairs d'or. Il portait des lunettes bifocales, ce qui l'obligeait à rejeter la tête en arrière lorsqu'il fallait regarder de loin. Les additions, les soustractions, l'escompte, les intérêts, tout cela, il l'effectuait de ses doigts agiles sur la machine à calculer, son bienveillant regard brun errant à travers la boutique, et son sourire aux éclairs d'or dédié aux clients.

Il se trouvait donc à sa place, un soir, les pieds sur un paquet de journaux pour les tenir au chaud, songeant avec une ironie mêlée de tristesse à une affaire conclue, dans le courant de l'après-midi, et qui s'était trouvée défaite puis replâtrée dans le même après-midi.

Quand vous quittez l'épicerie, si vous traversez le terrain vague, zigzaguant entre les tuyaux rouillés que les conserveries ont jetés là, vous distinguez comme un passage, parmi les mauvaises herbes. Suivez le passage jusqu'au cyprès, puis franchissez la voie ferrée, passez devant un poulailler : vous êtes devant un bâtiment long et bas qui, depuis longtemps, sert à emmagasiner la farine de poisson. Au fond, ce n'est qu'un hangar entouré de murs, mais ce hangar est la propriété d'un malheureux garçon répondant au nom de Horace Abbeville.

Horace avait deux femmes et six enfants. En y mettant le temps, à force d'habileté et de persuasion, il s'était arrangé pour accumuler, à l'épicerie, une dette qui n'avait pas sa pareille dans tout Monterey.

Dans le courant de l'après-midi, il était venu à la boutique, mais lorsqu'il avait vu, à son approche, l'ombre s'étendre sur la face de Lee, il avait eu un frémissement. Le petit doigt gras s'étais mis à taper sur la rondelle de caoutchouc. Horace avait posé ses paumes sur le dessus de verre du comptoir. « Je vous dois une fameuse note », avait-il proféré, très simplement.

La mâchoire de Lee avait fait scintiller un éclair d'or ; ce n'était pas ainsi qu'on l'abordait, en pareil cas. Il hocha la tête d'un air grave, et se tint dans l'expectative ; qu'est-ce que cela pouvait bien cacher ?

Horace passa sa langue sur ses lèvres, consciencieusement, d'un coin à l'autre. « Ça m'est insupportable d'avoir cette menace suspendue au dessus de la tête de mes gosses », dit-il. « Je parie que je ne pourrais même plus avoir pour eux un paquet de pastilles de menthe ? »

« D'accord », exprima la face de Lee Chong. « Une fameuse note ! » ajouta-t-il.

Horace poursuivit : « Vous savez, cette bâtisse,

qui est à moi, de l'autre côté du petit chemin, là où on remise la farine de poisson ? »

Lee Chong fit un signe d'acquiescement. C'était *sa* farine de poisson.

« Si je vous donnais ce hangar, demanda sérieusement Horace, est-ce qu'on serait quittes ? »

Lee Chong rejeta la tête en arrière et se mit à fixer Horace à travers ses lunettes ; son esprit bourdonnait parmi les comptes, et de sa main droite, il tripotait la machine enregistreuse. La bâtisse se dressait devant ses yeux, une vieille bâtisse, mais le prix du terrain pouvait monter, si jamais une conserverie décidait de s'y installer. « Tsss », fit Lee Chong.

« Écoutez, sortez-moi les comptes, et je vous signe tout de suite un acte de vente de la bâtisse ! » Horace avait l'air très pressé.

« Pas besoin de papiers, protesta Lee. C'est moi qui vais vous donner un acquit. »

L'affaire fut donc conclue dignement ; Lee Chong l'arrosa avec un quart d'*Old Tennis Shoes*. Et quand Horace Abbeville, marchant très droit, traversa le terrain vague, passa devant le cyprès, traversa les rails, longea le poulailler, il entra dans la vieille bâtisse qui avait été sienne, et se tira un coup de revolver, sur un tas de farine de poisson. On peut dire entre parenthèses que, par la suite, jamais un seul des petits Abbeville ne manqua de pastilles de menthe...

Mais revenons à cette soirée. Horace reposait donc dans le cercueil, sur des tréteaux, il avait dans le corps les piqûres de l'embaumement, et ses deux femmes se tenaient assises sur les marches de la maison, s'entourant l'une l'autre de leurs bras (elles restèrent très bonnes amies jusqu'à l'enterrement, ensuite, elles se partagèrent les enfants et ne s'adressèrent plus la parole).

Ainsi, Lee Chong se tenait debout, derrière son comptoir, ses beaux yeux bruns tournés vers le dedans, dans la contemplation de l'éternelle tristesse chinoise. Ce qui était arrivé, sans doute, il n'aurait pas pu l'empêcher, mais si seulement il avait su, il aurait peut-être pu essayer ? Bien sûr, un homme a parfaitement le droit de se tuer, et Lee considérait, dans sa compréhension, dans sa bonté, que c'est là un droit inviolable, mais un ami peut parfois éviter qu'un homme ait à user de ce droit. Il avait déjà donné sa garantie, pour le paiement des funérailles, et fait porter une énorme corbeille d'épicerie aux familles éprouvées.

Maintenant, il possédait la vieille bâtisse — un bon toit, un bon plancher, deux fenêtres et une porte. Il était vrai que la farine de poisson la remplissait jusqu'au plafond et que l'odeur en était tenace. Mais il envisageait déjà d'en faire une réserve pour son stock d'épicerie, une sorte de dépôt ; enfin, c'était à voir. Quelque peu éloigné, tout de même, facile à piller, par la fenêtre. De son alliance, il tapotait le petit tapis de caoutchouc, tournait et retournait le problème, quand la porte s'ouvrit et Mack fit son entrée. Mack était le plus âgé, le leader, le mentor et dans une certaine mesure, l'exploiteur d'un petit groupe d'hommes qui n'avaient en commun ni parenté, ni fortune, ni ambitions, mais que réunissaient le plaisir, les beuveries et la mangeaille. Mais là où la plupart des hommes ne trouvent que destruction et déception dans leur recherche du plaisir, Mack et ses gars l'abordaient calmement, prudemment aussi, et l'absorbaient fort gentiment. Il y avait Mack, et puis Hazel, un jeune d'une force herculéenne, Eddie, employé comme barman à *La Ida*, Hughie et Jones, qui de temps en temps, ramassaient des grenouilles et des chats pour le Laboratoire de l'Ouest ; le petit groupe logeait couramment à l'intérieur d'un de ces énormes conduits épars dans le terrain attenant à celui de Lee Chong, c'est-à-dire qu'ils dormaient dans les tuyaux lorsqu'il pleuvait ou qu'il faisait mouillé, mais par beau temps, leur domicile était marqué par l'ombre du grand cyprès noir, tout en haut du terrain. Jambes et bras repliés, c'est un excellent lit de repos. Cela permet à un homme de se reposer, et de suivre des yeux le flot qui s'agite dans la Rue de la Sardine.

Quand Mack fit son entrée, Lee Chong eut un imperceptible raidissement. Son regard fit rapidement le tour de la boutique, pour s'assurer que ni Jones, ni Hughie, ni Eddie, ni Hazel ne l'avait subrepticement suivi pour s'insinuer au milieu de la marchandise.

Avec une désarmante honnêteté, Mack étala son jeu :

« Lee, j'ai entendu dire, on a entendu dire, nous autres, que c'est à vous, maintenant, le hangar d'Abbeville... »

Lee fit un signe de tête et attendit.

« Avec les copains, on s'est dit qu'on vous demanderait si vous nous laisseriez y aller. » Et il ajouta vivement : « On garderait la propriété. Comme ça, personne n'entrerait, ne ferait des dégâts. Les gosses, vous savez, ça pourrait casser les carreaux. Pis, on n'sait pas, suggérat-il, ça peut brûler, si la bâtisse est pas gardée... »

Lee rejeta la tête en arrière, et fixa Mack, à

travers ses demi-lunettes ; le tapotement saccadé de son doigt révélait son agitation. Dans les yeux de Mack brillait une candide bonne volonté, une franche camaraderie, une bienveillance étendue au monde entier.

Pourquoi Lee Chong eut-il le sentiment d'être assiégé ? Pourquoi son esprit cheminait-il avec la précaution d'un chat glissant dans une allée de cactus ? C'était gentiment présenté, c'était offert de si bon cœur ! L'esprit de Lee fit le tour des possibilités — des probabilités, plutôt — le tapotement de son doigt se ralentit. Il imagina son refus, et vit les fenêtres de sa bâtisse avec tous les carreaux cassés. Il vit Mack revenir à la charge, pour « garder la propriété » ; il refusait une seconde fois. Une odeur de fumée monta à ses narines ; devant ses yeux, des flammes sortirent de la bâtisse. Le doigt de Lee prit un temps de repos sur la rondelle de caoutchouc. Mack l'avait eu. Il le savait. Il restait à sauver la face. Mack, bon prince, allait l'y aider.

« Ça vous plairait de louer ma bâtisse ? » demanda-t-il. « Ça vous plairait d'y vivre, comme dans un hôtel ? »

Un large sourire éclaira la figure de Mack. Il était chic : « Ma foi, c'est une idée... Bien sûr... Combien ? »

Lee réfléchit. Le prix du loyer ne signifiait rien, il le savait. Il n'en toucherait pas un centime. Mais pour sauver la face, il s'agissait de fixer un prix.

« Cinq dollars par semaine! » proféra-t-il.

Mack, jusqu'au bout, fut beau joueur : « Faudra que j'en parle aux copains... Voyons, qu'est-ce que vous diriez de quatre dollars par semaine ?

— Cinq dollars! dit fermement Lee.

— Eh ben, je m'en vais consulter les gars, »
répliqua Mack.

Et la chose s'arrangea ainsi. A la satisfaction
de tout le monde. On peut penser que Lee avait
été roulé. Ce n'était pas l'idée de Lee. Ses carreaux demeuraient intacts. Pas d'incendie. Ses
locataires, certes, ne lui payaient pas de loyer,
même quand ils avaient de l'argent, mais lorsqu'ils en avaient, l'argent ne filait jamais ailleurs
que vers la boutique de Lee Chong. Il s'était
attaché un groupe actif de clients qu'il tenait
à sa discrétion. Et plus encore. Quand un ivrogne
faisait du potin dans la boutique, ou quand les
gosses de New Monterey arrivaient en essaim,
sur un signe de Lee, ses locataires se précipitaient
pour lui prêter main-forte. Et autre chose encore ;
qui oserait, je vous le demande, voler son bien-
faiteur ? Ce que Lee économisait en boîtes de
conserves de tomates, de haricots, de lait condensé,
ou en melons d'eau, franchement, cela dépassait
tous les loyers du monde. Si, tout à coup, pas
mal de marchandise se mît à manquer dans les
épiceries de New Monterey, Lee n'y était vraiment pour rien.

Les copains emménagèrent donc, après qu'on
eut sorti toute la farine de poisson. Pourquoi,
par qui, la bâtisse fut-elle par la suite baptisée
« Le Palais des Coups » ? On ne le tira jamais
au clair. Toujours est-il que les gars procédèrent
à leur installation dans le Palais des Coups. Dans
les tuyaux, sous le cyprès, il n'y avait, cela va
de soi, pas trace d'ameublement. Une chaise
bientôt fit son apparition, puis un matelas, et
puis encore une autre chaise. Un quincaillier
fournit bien volontiers un seau de peinture rouge,
d'autant plus volontiers qu'il n'en sut jamais

21

rien. Dès qu'une table nouvelle arrivait, un nouveau tabouret, on lui collait un badigeon, ce qui n'avait pas seulement l'avantage de le rendre coquet, mais aussi de le déguiser — les gens sont si curieux, on ne sait jamais... Et le Palais des Coups se mit à vivre. Maintenant, les gars pouvaient s'asseoir devant leur porte, avoir la vue du terrain vague tout entier, et du petit chemin, jusqu'à la rue, jusqu'à la façade du Laboratoire de l'Ouest. Le soir, la musique du Laboratoire arrivait jusqu'à eux. Des yeux, ils pouvaient suivre Doc : on le voyait traverser la rue et pénétrer chez Lee pour y prendre sa bière. « Un chic type, Doc! » disait Mack. « Faudrait faire quelque chose pour lui. »

II

Symbole et signe, que le mot. Charme qui aspire les êtres, les paysages, les usines et les Chinois. Ainsi, l'objet se transforme en mot, le mot crée à nouveau l'objet. Mais intriqué, fondu, tissé dans une forme fantastique.

Le mot a aspiré la Rue de la Sardine, l'a digérée et l'a rendue ; la Rue a pris l'éclat du monde vert, et des mers où le ciel se mire. Lee Chong est plus et mieux qu'un épicier chinois, et il faut qu'il soit plus et mieux. Il est le mal, peut-être, le mal que le bien tient en suspens ; une planète d'Asie peut-être, maintenue dans son orbite par Lao-Tsé, mais éloignée de Lao-Tsé par la force centrifuge de la machine à calculer et des produits d'épicerie. Dur avec les boîtes de haricots, tendre avec les os de son grand-père. Car Lee Chong a fouillé la tombe de *China Point*, il a trouvé les ossements jaunes, et le crâne où demeuraient collés des cheveux gris et gluants. Lee a soigneusement empaqueté les os ; les fémurs, les tibias bien droits, il a mis le crâne au milieu ; autour, le bassin et les clavicules, à droite et à gauche, les côtes ; puis, il a expédié son grand-père dans une petite caisse, à travers l'Océan, pour qu'il puisse reposer dans la terre de ses ancêtres.

Mack et les gars tournent aussi dans leur orbite. Ce sont les Vertus, les Grâces, et les Beautés de Monterey décrépit, de Monterey en folie, d'un Monterey cosmique où la faim et la peur détraquent les entrailles des hommes qui bataillent pour la pitance, où les hommes affamés d'amour anéantissent les choses dignes d'amour autour d'eux. Mack et les gars : les Vertus, les Grâces, les Beautés. Dans un monde mené par des tigres pustuleux, labouré par des taureaux furieux, et nettoyé par des chacals aveugles, Mack et les gars se mettent délicatement à table avec les tigres, caressent les taureaux furieux, et distribuent les miettes aux mouettes voyageuses. Un homme conquiert le monde, mais il prend possession de son royaume avec un ulcère gastrique, une prostate malade, et des lunettes bifocales. Mack et les gars savent éviter les pièges et le poison, ils glissent au-dessus des abîmes, et pendant ce temps, une génération de gens pris au piège, empoisonnés et ligotés les invectivent, les traitent de salauds, de voyous, de voleurs et de canailles.

Notre Père, qui travaillez à même la Nature, vous qui avez donné le don de survie au rat d'égout et au coyote, à la mouche, à la mite et au rouge-gorge, vous devez être éperdu d'amour pour les voyous et les salauds, et pour Mack et ses gars. Vous aimez les vertus, les grâces, la fantaisie et la paresse. Notre Père, qui travaillez à même la Nature.

III

L'épicerie de Lee Chong se trouve à droite du terrain vague (pourquoi vague? Il est fort précisément encombré de vieilles chaudières, de tuyaux rouillés, de bois de charpente, et d'un amoncellement de gros bidons). Là-haut, à l'arrière du terrain il y a les rails ; à côté, le Palais des Coups. Sur la gauche, près de la bordure, s'élève la maison de Dora Flood, austère et digne, une maison très propre, décente, honnête, vieux genre, où tout homme peut venir boire un verre et y rencontrer des amis. Rien de la boîte de nuit à bon marché : un Club vertueux, bâti et dirigé selon les règles par Dora, qui, grâce à cinquante ans de métier, en exerçant ses dons particuliers — le tact, la droiture, la bonté, et même un certain réalisme — a su se faire respecter de tous, les bons, les braves, les subtils et les cultivés. Pour la franc-maçonnerie lascive des vieilles filles mariées, celles dont le mari respecte le foyer, tout en le fuyant, elle est l'objet d'exécration, justement à cause de ses dons.

Dora est grande, un grand corps surmonté d'une flamboyante chevelure orange, et affligée d'un faible pour les robes du soir vert Nil. Honnête établissement que le sien : prix fixe, pas de liqueurs fortes, point de grossièretés, jamais de cris. Quelques-unes, parmi ses filles, ont pris leurs invalides, en raison de l'âge ou des infirmités. Pour rien au monde, Dora ne les mettrait à la porte, mais, comme elle le fait remarquer judicieusement, pour trois passes qu'elles font en un mois — et encore! — elles n'en dévorent pas moins leurs trois repas par jour! Dans le temps, Dora avait baptisé son établissement : *Le Restaurant du Drapeau de l'Ours*, il paraît même qu'on y venait tout naturellement prendre un sandwich. Si l'on compte les vieilles, le personnel normal se compose de douze filles, d'un cuisinier grec, et d'un homme qui assume en principe la fonction de veilleur, mais à qui incombent toutes sortes de tâches délicates. C'est lui qui intervient dans les batailles, renvoie les hommes saouls, calme les hystériques, soigne les maux de tête, et assure le service du bar. Il bande les plaies et les entorses, passe ses journées avec les flics, et, la plupart des filles étant adeptes de la Science Chrétienne, il leur lit à haute voix *Science et Santé*, le dimanche matin.

Son prédécesseur, un homme moins bien équilibré, avait fait une très triste fin. Nous la raconterons en son temps. Alfred, lui, a triomphé de son milieu, il a même élevé le milieu jusqu'à lui. Il sait pertinemment ce qu'en ce lieu les hommes peuvent se permettre, et ce qu'ils ne peuvent pas se permettre. Et il en sait plus long que personne sur la vie domestique de chaque citoyen de Monterey.

Pour ce qui est de Dora, elle mène une existence curieuse. Allant contre la loi (du moins contre la lettre de la loi), elle doit se montrer plus que qui-

26

conque respectueuse des lois. Qu'on vienne à se battre, ou qu'on se saoule, qu'il y ait du chahut, et l'établissement de Dora est bouclé. Et parce qu'elle vit précisément en marge de la loi, Dora doit à tout prix se distinguer dans la philanthropie. Si la Police donne un bal pour sa caisse des retraites, et que chacun donne un dollar, Dora doit donner cinq dollars. Lorsque la Chambre de Commerce a fait embellir ses jardins, chaque commerçant a cotisé pour cinq dollars, mais Dora a été taxée pour cent dollars, et elle a dû s'exécuter. Ainsi sur toute la ligne. Croix-Rouge ou Boys Scouts, les ignobles fruits du péché figurent en tête de toutes les listes de souscription. Ce fut une autre affaire pendant la crise! En plus de ses charités habituelles, Dora eut sur le dos les enfants affamés et les papas chômeurs et les mamans inquiètes, et les notes d'épicerie accumulées pendant deux ans, ce fut à elle de les régler, et il est honnête de dire qu'elle ne fut pas loin de la faillite.

Les filles de chez Dora sont agréables et bien élevées. Jamais elles n'adresseraient la parole à un homme dans la rue, eussent-elles couché avec lui la nuit précédente.

Avant qu'Alfy, le veilleur actuel, prît son service, une tragédie s'était déroulée, au *Drapeau de l'Ours*, qui avait attristé chacun.

L'ancien veilleur s'appelait William, c'était un brun à figure morne. Il n'avait pas grand-chose à faire dans la journée, et il lui était venu une sainte horreur de la société féminine. Par la fenêtre, il apercevait Mack et les gars, assis sur un tuyau, dans le terrain vague, balançant leurs pieds au-dessus de l'herbe, prenant le soleil, et discourant à perdre haleine sur des sujets intéressants. De temps

27

en temps, on les voyait sortir un flacon d'*Old Tennis Shoes*, essuyer le goulot d'un revers de manche et lever le coude l'un après l'autre. Une forte envie d'appartenir au groupe s'éveilla dans le cœur de William. Un jour, il s'enhardit et vint s'asseoir près d'eux, sur le tuyau. Un malaise, un silence hostile s'abattit sur le groupe, la conversation s'arrêta. Après un petit bout de temps, William reprit le chemin du Restaurant ; il regarda par la fenêtre, et s'aperçut que la conversation avait repris avec vivacité ; il en éprouva de la peine. Il avait une figure sombre, fort laide, et une bouche resserrée par la mélancolie.

Le jour suivant, il sortit de nouveau, une fiole de whisky sous le bras. Mack et les gars lampèrent le whisky — après tout ils n'étaient pas fous — mais la conversation se borna à deux ou trois : « Bien sûr, évidemment, bonne chance, et à bientôt. »

William retourna au *Drapeau de l'Ours*, guetta les gars par la fenêtre, et entendit résonner la voix de Mack : « Nom de Dieu, moi, les maquereaux, moi je peux pas les supporter ! » C'était une calomnie affreuse. La vérité, c'est que Mack et les gars n'avaient pas William à la bonne.

William sentit son cœur se fendre. Les voyous refusaient de frayer avec lui. Ils le sentaient trop au-dessous d'eux. William faisait de l'introspection, il avait une tendance à se donner toujours tous les torts. Il saisit son chapeau et prit le chemin qui longeait la mer en marchant jusqu'au phare. Il entra dans le petit cimetière, doucement assailli par le roulement des vagues. Des pensées noires l'envahissaient. Personne ne l'aimait. Personne ne tenait à lui. Lui, un veilleur de nuit ? Non, sans blague : un maquereau, un sale maquereau, voilà ce qu'il était, la plus grande saloperie du monde.

Pourtant, il avait le droit de vivre, et le droit d'être heureux, comme tout le monde, nom de Dieu, il l'avait ! Il prit le chemin du retour, rempli de colère ; sa colère fondit, lorsqu'il monta les marches du *Drapeau de l'Ours.* C'était le soir ; le piano mécanique jouait « Clair de Lune en été », cela lui fit penser à la première poule qui en avait pincé pour lui : elle adorait cet air. Elle avait disparu, elle s'était mariée... Dora était en train de prendre son thé dans le petit salon du fond, lorsqu'il entra : « Qu'est-ce qui se passe, lui demanda-t-elle, vous êtes malade ?

— Non, répondit William. Je me sens drôle. Je crois bien que je vais me faire sauter le caisson. »

Dora connaissait les cinglés, il lui en était passé quelques-uns par les mains. « Faut pas les prendre au sérieux », avait-elle coutume de dire.

« Eh bien ! faites-le si ça vous chante, mais ne salissez pas les tapis ! »

Un brouillard gris enveloppa le cœur de William, il sortit lentement, traversa le hall, et frappa à la porte de Eva Flanegan. Elle avait des cheveux rouges, elle se confessait chaque semaine. C'était une fille qui avait une vie intérieure, et toute une ribambelle de frères et de sœurs ; au demeurant, la plus grande saoularde qui fût. Elle était occupée à se peindre les ongles, quand il entra ; elle faisait cela tout de travers, William s'aperçut tout de suite qu'elle était noire ; Dora ne la laisserait jamais travailler dans cet état-là. Ses doigts étaient tachés de vernis jusqu'aux jointures, on sentait qu'elle était furieuse. « Qu'est-ce qui vous prend ? » fulmina-t-elle. La colère s'empara de William. « Il y a que je vais me faire sauter ! » lança-t-il sur un ton de défi.

« Ça, alors, c'est une cochonnerie! Une dégoûtation, une saloperie! cria-t-elle. Un scandale pareil, juste au moment où je vais avoir assez de fric pour aller me balader à Saint-Louis! T'es qu'un sacré cochon d'enfant de putain! » William ferma la porte et se dirigea vers la cuisine, et elle vociférait encore. Il en avait marre, des femmes. Le Grec, lui, se foutait des femmes.

Ceint d'un grand tablier, les manches relevées, le Grec faisait frire des côtelettes de porc dans deux grandes poêles ; il les retournait avec un long poinçon à glace. « Hello, vieux, comment ça va ? » Un petit sifflement se fit entendre du côté des côtelettes de porc, qui grésillaient au fond des poêles. « Lou, ma foi, je sais pas. Y a des moments, je me demande si je ferais pas mieux de... couic. » Du doigt, il fit un signe horizontal devant sa gorge.

Le Grec posa son poinçon sur le fourneau et retroussa ses manches un peu plus haut. « Ben moi, voilà ce que j'ai entendu dire. J'ai entendu dire que celui qui en parle, il le fait pas. » William étendit le bras, il saisit le poinçon à glace ; il le tenait fermement en main. Il plongea son regard intense dans les yeux noirs du Grec, il y lut l'incrédulité, il vit danser une lueur narquoise, et comme il le fixait toujours, il vit l'inquiétude grandir dans les yeux noirs. L'expression des yeux noirs changeait : d'abord, le Grec avait senti qu'il était capable de le faire, ensuite, le Grec avait compris qu'il allait le faire. Rien qu'à regarder les yeux du Grec, William sentait qu'il *devait* le faire. Maintenant, cela paraissait idiot ; la tristesse monta. Il éleva sa main, et le poinçon à glace s'enfonça dans son cœur. Si facilement, c'était curieux. William était le veilleur qui était en fonction avant Alfred. Alfred plaisait à tout le monde. S'il en avait envie, il pouvait très bien venir s'asseoir sur le tuyau, entre Mack et les gars. Il pouvait même faire une petite visite au Palais des Coups.

IV

Un soir, au crépuscule, une curieuse chose se
produisit dans la Rue de la Sardine. Cela se passa
entre le coucher du soleil et le moment où s'al-
lument les réverbères. Une brève période s'écoule,
à ce moment-là, grise et tranquille... Un vieux
Chinois descendit le bas de la colline, il passa devant le Palais des Coups, longea le chemin des
poulets, et traversa le terrain vague. Il portait un
chapeau de paille défraîchi, une veste et un pantalon de coton bleu, des souliers lourds dont une
semelle détachée claquait à chaque pas. Il tenait
à la main un panier d'osier à couvercle. Sa figure
était maigre et brune, toute ridée, ses vieux yeux
étaient bruns, si profondément enfoncés que son
regard semblait sortir des trous, et les blancs même
étaient bistrés. Il arrivait avec le crépuscule ; il
traversa la rue, passa par l'éclaircie, entre le Laboratoire et l'Usine Hediondo, puis il aborda la
petite plage, et disparut entre les poteaux de fer
qui supportaient l'embarcadère. On ne le vit plus
avant l'aube.

Mais à l'aube, quand les lumières de la rue furent
éteintes, au petit jour, le Chinois émergea de dessous les poteaux, traversa la plage, puis la rue.

Son panier en osier était humide et lourd, et des gouttes d'eau s'en échappaient. Sa semelle détachée claquait. Il monta la colline jusqu'à la deuxième rue, poussa la grille d'une haute et large clôture, et jusqu'au soir on ne le revit plus... Tout en dormant, les gens entendaient le claquement de sa semelle, et cela les tenait éveillés un instant. La chose se passait depuis des années, mais personne ne s'y habitua. Certains disaient qu'il était le Bon Dieu, les vieux disaient que c'était la Mort, et les enfants pensaient que c'était un drôle de vieux Chinois, car les enfants pensent toujours que tout ce qui est vieux est bizarre. Mais les gamins se gardaient bien de courir après lui et de l'apostropher, on aurait dit qu'il était entouré du petit halo de la peur.

Il n'y eut qu'Andy, un brave et beau garçon de dix ans, Andy, de Salinas, pour oser croiser le vieux Chinois. Andy se trouvait alors en visite à Monterey ; comme tout le monde, il voyait passer le vieil homme, et il sentit qu'il était de son devoir de l'apostropher, ne serait-ce que par dignité. Mais, tout brave qu'il pouvait être, Andy sentit s'approcher de lui le petit halo de la peur.

Soir après soir, Andy le guettait : le devoir et la peur se débattaient en lui. Tout de même, un beau soir, Andy s'enhardit, il suivit le vieil homme et se mit à chanter d'une voix de fausset : « Ching-Chong le Chinois est assis sur une rampe! Mais un blanc est venu, et il lui a coupé la queue! »

Le bonhomme s'arrêta, et se retourna. Andy s'arrêta à son tour. Les yeux bruns regardèrent Andy, les fines lèvres plissées remuèrent. Ce qui arriva, Andy jamais ne put l'expliquer, pas plus qu'il ne put l'oublier. Les yeux s'agrandirent, s'agrandirent, jusqu'à ce que le Chinois eût disparu.

Et puis, il ne resta plus qu'un seul œil, un œil immense, un vaste œil brun, grand comme la porte d'une église. Et à travers la porte brune, brillante et transparente, Andy regarda : il vit un village isolé, dans une grande plaine bordée d'une rangée de montagnes fantastiques : cela formait des têtes de vaches, des têtes de chiens, des champignons, des tentes... Une herbe rase et laide était parsemée sur la plaine et aussi, çà et là, de petits monticules. Un petit animal, semblable à une marmotte du Canada, se tenait sur chaque monticule. Alors, la solitude et l'isolement glacé du paysage arrachèrent une plainte à Andy : il n'avait plus personne au monde et il était abandonné. Andy ferma les yeux, et quand il les rouvrit, il se trouvait dans la Rue de la Sardine, et justement, le Chinois marchait entre le Laboratoire et l'Usine Hediondo. Andy était le seul garçon qui eût osé, mais il ne le refit jamais plus.

V

Le Laboratoire Biologique de l'Ouest s'élevait de l'autre côté de la rue, juste en face du terrain vague. L'épicerie de Lee Chong se trouvait en face, au coin droit, et le *Drapeau de l'Ours* au coin gauche.

Le Laboratoire Biologique de l'Ouest débite des marchandises superbes, d'extraordinaires marchandises. Il vend les gentils animaux de la mer, les éponges, les anémones, toutes les variétés d'étoiles de mer, les vers, les coquillages, les barnacles, les vivantes, les mouvantes fleurs marines, uni-branches ou multibranches, les oursins hérissés d'aiguilles, les crabes, les demi-crabes, les petits dragons, les crevettes sautantes — si transparentes, qu'à peine si elles ont une ombre. Le Laboratoire de l'Ouest vend des punaises et des araignées, des serpents à sonnettes, des rats, des abeilles et des monstres. Tout cela est à vendre. Et il y a aussi des fœtus, certains entiers, les autres découpés et présentés par tranches. Et pour les étudiants, il y a des requins, vidés de leur sang, et dont les veines et les artères sont injectées de jaune et de bleu, afin qu'on puisse suivre leur système circulatoire au scalpel. Il y a des chats, aussi, et des grenouilles, avec les veines et les artères coloriées. Tout ce qui vit, vous pouvez le commander au Laboratoire de l'Ouest : tôt ou tard, vous le recevrez.

C'est un bâtiment bas qui fait face à la Rue. Le magasin des réserves se trouve au sous-sol ; ses rayons montent jusqu'au plafond, chargés de bocaux remplis d'animaux conservés. Dans le sous-sol, il y a également un évier, ainsi que les instruments pour injecter et embaumer.

Par la cour de derrière, vous pénétrez dans un hangar couvert, d'où vous avez la vue sur l'Océan. Les réservoirs pour les animaux de grande taille se trouvent là : les raies, les requins, les poulpes, chacun dans son réservoir de ciment. Quand vous entrez par la façade, vous franchissez un escalier ; si vous ouvrez la porte, vous vous trouvez dans le bureau ; des valises fermées y sont empilées sur une table ; l'ameublement se compose en outre de classeurs de différentes tailles, et d'un grand coffre-fort dont la porte est ouverte.

Cette porte, un jour, avait été fermée par mégarde, et personne malheureusement ne connaissait le chiffre. Avant que le serrurier eût découvert le chiffre, on eut bien l'impression que quelque chose de louche devait se dérouler à l'intérieur du coffre. Il contenait une boîte de sardines entamée, et un morceau de roquefort. C'est alors que *Doc* conçut son projet de vengeance contre les banques, projet qui peut d'ailleurs toujours servir. « Louez un coffre pour vos dépôts, conseillait-il, fourrez-y un saumon entier, à condition qu'il soit bien frais, et allez-vous-en pour six mois! » Mais, depuis que les ennuis s'étaient produits, avec le coffre, il était interdit d'y ranger de la nourriture. On la mettait dans les armoires.

Derrière le bureau, c'est une pièce avec les aquariums contenant les animaux vivants. S'y trouvent aussi des rayonnages, les armoires contenant de la droguerie, des caisses pour la verrerie de laboratoire, des sièges, de petits moteurs et des produits chimiques.

D'étranges odeurs émanent de cette pièce : odeur de formol, d'étoiles de mer séchées, d'eau de mer, de menthol, d'acide phénique, d'acide acétique, odeur du papier goudronné (pour les emballages), de la paille, de la corde, odeur du chloroforme et de l'éther, odeur d'ozone des moteurs, odeur de fin acier et de lubrifiant, odeur d'huile de bananes et de tuyaux de caoutchouc, odeur des chaussettes de laine et des souliers qui sèchent, odeur aiguë, piquante, des serpents à sonnettes, effrayant relent de moisi provenant des rats.

Par la porte du fond, à marée basse, arrive l'odeur de la soude et des coquillages, l'odeur du sel et du brouillard marin à marée haute.

A gauche du Bureau, c'est la Bibliothèque. Des rayonnages chargés de livres montent jusqu'au plafond, et tous les genres s'y étalent : brochures, ouvrages scientifiques, dictionnaires, encyclopédies, poèmes et œuvres dramatiques. Un gigantesque phonographe est posé près du mur, entouré de centaines de disques. Un lit d'acajou est placé sous la fenêtre ; sur les murs, sous les étagères sont appendues, à hauteur d'œil, des reproductions de Daumier, du Titien, de Léonard, de Picasso, de Dali et de George Grosz. Chaises et tabourets complètent l'ameublement de la pièce, qui peut contenir jusqu'à quarante personnes réunies.

Derrière la Bibliothèque — ou la salle de musique,

à votre gré — se trouve la cuisine, où sont logés fort à l'étroit une chaudière, un fourneau et un évier. Si la nourriture est rangée dans les armoires du bureau, la vaisselle, la graisse et les légumes se mettent dans des vitrines de verre fixées aux murs. Ce n'est pas par caprice que les choses s'arrangent ainsi, c'est comme cela, tout simplement. Des morceaux de lard sont suspendus au plafond de la cuisine, ainsi que du salami et du poisson séché. Le lavabo et la douche sont derrière la cuisine. Pendant cinq ans, le lavabo a fui, mais un sage et beau visiteur y a porté remède en le bouchant avec du chewing-gum.

Doc est tout à la fois le propriétaire et l'animateur du Laboratoire Biologique de l'Ouest. Il est plutôt petit, mais un faux petit, car il est maigre et vigoureux, et quand la colère l'empoigne, il est capable de se montrer féroce. Il porte la barbe, et son visage, moitié Christ et moitié satyre, exprime la vérité. On dit qu'il a tiré d'un mauvais pas nombre de femmes en détresse. Il a des mains de chirurgien, un esprit froid et chaud tout à la fois. Doc soulève son chapeau quand il passe devant les chiens, les chiens le regardent et lui répondent en souriant. Il peut tuer si c'est nécessaire, mais il est incapable de causer une blessure pour le plaisir, même une blessure de sentiment.

Il n'a qu'une peur : c'est de se mouiller la tête, cela fait qu'été comme hiver, il porte un chapeau pour la pluie. Il peut marcher dans la marée montante avec de l'eau jusqu'aux aisselles sans souffrir de l'humidité, mais une goutte de pluie sur la tête, et il s'affole.

Longtemps, Doc a plongé dans la Rue de la Sardine pour y chercher, inconsciemment, une détente. Il est la source de toute philosophie, de

toute science, de toute poésie. C'est au Laboratoire
que les filles de chez Dora ont entendu de la musique
grégorienne et du plain-chant pour la première
fois. Et Lee Chong écoutait, pendant qu'on lui
lisait Li Po en anglais. Henry-le-Peintre, a eu là
sa première audition du Livre de la Mort, et cela
l'a touché si fort, qu'il en a changé sa manière.
Auparavant, pour peindre, Henry se servait de
colle, de rouille et des plumes colorées de poulets,
mais ses quatre tableaux suivants ont été en-
tièrement exécutés avec des sortes différentes de
coquilles de noix.

Doc a ce don de pouvoir écouter toutes vos sot-
tises, et d'en confectionner une sagesse à votre
usage. Son esprit ne connaît pas de limites, sa
sympathie est infaillible. Il sait raconter aux enfants des choses si profondes, qu'ils les compren-
nent. Il vit dans un monde de merveilles et de
frémissements. Il est concupiscent comme un la-
pin et ravissant comme l'enfer. Tous ceux qui le
connaissent lui doivent quelque chose. Et chacun,
en pensant à lui, se dit incontinent : « Il faut absolument que je fasse quelque chose de gentil pour
Doc. »

VI

Doc ramassait les animaux marins dans le Bassin des Grandes Marées, à la pointe de la Péninsule. A marée haute, l'endroit est fabuleux. Les vagues battent le bassin, blanc d'écume, et puis déferlent vers la côte, depuis la bouée flottante qui émet un long sifflement, jusqu'au récif. A marée basse, le charmant petit monde de l'eau connaît l'apaisement. La mer, limpide, montre un univers fantastique, peuplé d'animaux batailleurs, voraces, avides de vivre.

Les crabes courent d'une feuille à l'autre sur les algues mouvantes, les étoiles de mer jettent leur dévolu sur les moules et les coquillages, y attachent leur million de suçoirs et, lentement, mais avec une force incroyable, arrachent leur proie au rocher. L'étoile darde ensuite son estomac et enrobe sa nourriture. Les mollusques tachetés, cannelés et orangés glissent gracieusement sur les rochers, leurs jupes ondoyantes comme celles des danseuses espagnoles. Les anguilles noires sortent brusquement leurs têtes hors des crevasses et guettent leur proie. Les crevettes véloces, avec leur pince à ressort, font une entrée bruyante. Et ce joli monde diapré entrecroise ses reflets. Tels des enfants fous, les bernard-l'hermite se réfugient dans le sable. L'un d'eux, s'il trouve une coquille vide qu'il préfère à la sienne, expose pour un moment son corps mou à l'ennemi, et puis s'engouffre dans la coquille nouvelle. La vague vient se briser par-dessus la barrière, agite un instant l'eau moirée, embrouillant les bulles du bassin, puis s'éclaircit, se calme, délicieuse et cruelle. Un crabe tire la patte de son frère. Les anémones s'épanouissent comme des fleurs éclatantes, invitant tous les êtres las à se reposer entre leurs bras, mais dès qu'un petit crabe accepte l'invite empourprée, les pétales se referment, de minuscules aiguilles introduisent un narcotique dans le corps du passant qui faiblit, s'endort, et les acides digestifs et caustiques absorbent sa substance.

C'est alors que l'assassin rampant, le poulpe, sort furtivement de sa tanière : il avance lentement, doucement, à la manière d'une brume grise, feignant, tantôt d'être mauvaise herbe, tantôt rocher, tantôt viande pourrissante, tandis que ses méchants yeux de chèvre guettent froidement. Il suinte et flotte autour d'un crabe en train de festoyer ; dès qu'il approche, ses yeux jaunes s'enflamment, son corps rougit de convoitise et de fureur. Puis, tout à coup, il se met à courir sur la pointe des bras, légèrement, avec toute la férocité d'un chat prêt à l'attaque, il bondit sauvagement sur le crabe, lance une bouffée de fluide noirâtre, obscurcit la bataille d'un nuage sépia, et massacre le crabe. Sur les rochers émergeant de l'eau, les coquillages chantent, portes closes, les pétales sèchent, et les mouches noires s'approchent pour dévorer tout ce qu'elles trouvent. L'air est saturé d'iode, gonflé par l'odeur de calcaire, de protéine, de sperme et d'œufs, car c'est à découvert que les étoiles de mer font sortir de leurs branches la substance génératrice. Tout cela sent la vie, la richesse, la digestion, la mort, le vieillissement et la naissance. Le sel saupoudre la barrière où l'Océan attend l'ordre de la marée montante qui le rejettera dans le Grand Bassin. La bouée mugit, sur le récif, comme un taureau triste et patient.

Doc et Hazel travaillaient ensemble dans le Bassin. Hazel habitait au Palais des Coups, avec Mack et les gars. Hazel avait reçu son nom tout à fait par hasard, à sa naissance. Sa mère, la pauvre, avait eu sept enfants en huit ans. Elle était éreintée, à force de courir sans cesse pour nourrir ses sept gosses et son mari. Elle avait essayé tous les moyens pour gagner quelque argent : la confection des fleurs en papier, la culture des champignons de couche, l'élevage des lapins à fourrure et des lapins à consommer, et pendant ce temps, son mari, vautré sur son transatlantique, lui prodiguait pour tout potage ses bons conseils et sa critique. Elle avait eu une grand-tante qui s'appelait Hazel, et qui avait bien réussi comme agent d'assurances sur la vie. Ainsi donc, avant même que la mère se fût aperçue que le huitième enfant était un garçon, elle l'avait prénommé Hazel, et puis, elle s'était habituée à ce nom et n'avait plus jamais pensé à le changer. Hazel avait grandi : quatre ans d'école secondaire, suivis de quatre ans de maison de redressement ; il n'avait rien appris, pas plus dans un endroit que dans l'autre. Dans les maisons de redressement, on est censé apprendre le vice et la débauche, mais Hazel était trop distrait, il n'en avait rien retenu. Il adorait écouter les gens, ce n'était pas les mots qu'il écoutait, c'était le ton, c'était le rythme de la conversation. Il posait des questions, non pour entendre les réponses, mais bien pour maintenir le courant.

Il avait vingt-six ans ; avec ses cheveux bruns, il était agréable à voir, fort, serviable et loyal.

Il accompagnait très souvent Doc à la pêche, et s'y prenait très bien, dès qu'on lui expliquait ce qu'il fallait chercher. Ses doigts rampaient comme des tentacules de poulpe, s'agrippaient, tels des anémones. Il marchait d'un pied sûr, sur les rochers glissants, et il avait l'instinct de la chasse. Pendant qu'il travaillait, Doc gardait son chapeau de pluie, et portait constamment de grosses bottes de caoutchouc, Hazel se contentait de son bleu et de ses souliers de tennis.

Ils ramassaient des étoiles de mer. Doc avait reçu une commande de trois cents spécimens.

Hazel cueillit une splendide étoile écarlate, dans le fond du bassin, et la fourra dans son sac de grosse toile, à moitié plein. « Je me demande ce qu'ils en font, murmura-t-il.

— Ce qu'ils en font de quoi ? demanda Doc.

— Des étoiles de mer, répondit Hazel. Vous leur vendez, vous leur en envoyez de pleins barils, qu'est-ce qu'ils en font ? Ça ne peut tout de même pas se manger !

— Ils les étudient », articula Doc patiemment, se souvenant qu'il avait répondu à cette même question une bonne douzaine de fois. Car Doc était affligé d'une manie : il s'imaginait que les gens désirent entendre une réponse à leurs questions. Pour lui, du moins il en était ainsi. Hazel, qui ne cherchait rien d'autre que d'écouter des mots, était passé maître dans l'art de maintenir leur flot.

« Qu'est-ce qu'ils peuvent bien trouver à étudier ? poursuivit-il. Ça n'est que des étoiles de mer.

Y en a des millions comme ça. Je peux vous en ramasser un million, si vous voulez.

— Ce sont des animaux compliqués, et fort intéressants. (Doc se tenait légèrement sur la défensive.) Celles-là seront expédiées dans les Universités du Middle West et du Nord.

Hazel usait de son truc habituel :

« Y n'ont pas d'étoiles de mer, là-bas ?

— Puisqu'ils n'ont pas d'océan...

— Oh ! » fit Hazel, cherchant frénétiquement à poser une autre question. Il ne pouvait pas supporter que la conversation tournât court. Mais il manquait de rapidité. Ce fut Doc qui posa la question. Au grand affolement de Hazel : il allait lui falloir trouver une réponse. Il avait un esprit bourré d'impressions non classées ; il n'oubliait rien, mais ne se donnait jamais la peine de classer ce qu'il avait acquis ; tout y était jeté pêle-mêle, comme des ustensiles de pêche au fond d'une barque : les clous, les plombs, les lignes, les hameçons, tout cela enchevêtré...

« Comment ça va, au Palais des Coups ? » demanda Doc.

Hazel fourragea ses cheveux bruns et fit effort pour se dégager la cervelle. « Ça va très bien », dit-il. « Ce type, Gay, vous savez, va s'installer chez nous, je suppose. Sa femme lui flanque des tournées. Quand il est réveillé, ça va encore, mais elle attend qu'y dorme pour le cogner ! Il a horreur de ça. Faut qu'y se réveille et qu'y lui rende les coups, mais dès qu'y se rendort, elle remet ça. Ça l'éreinte, vous comprenez, c'est pour ça qu'y va venir chez nous.

— Ça fera un nouveau ! remarqua Doc. D'habitude, elle le faisait mettre en prison...

— Ouais ! Mais ça, c'était avant qu'ils aient

construit la nouvelle prison, à Salinas. Il en avait chaque fois pour trente jours et ne pensait qu'à se débiner. Mais c'te nouvelle prison : la radio, des lits épatants, un chic type de shériff ; du coup, Gay ne voulait plus rien savoir pour en sortir, y s'y plaît trop. Tellement, que sa femme veut plus le faire arrêter. C'est pour ça qu'elle le cogne pendant son sommeil. Y dit que ça lui fait mal aux nerfs. Et vous savez très bien comme moi que ça lui fait aucun plaisir de la battre. Il le fait que par dignité. Maintenant, il en a marre. Et je crois qu'y va venir chez nous. »

Doc se redressa. Les vagues commençaient à atteindre la barrière du Grand Bassin. La marée approchait, de petits ruisseaux commençaient à couler le long des rochers. Le vent soufflait, le sifflet de la bouée, l'aboiement des lions de mer se faisaient entendre du côté de la pointe. Doc remonta son chapeau de pluie en haut de son front. « Assez d'étoiles de mer ! » dit-il. Et il jeta son sac sur son épaule.

Hazel quittait à sa suite le Bassin des Grandes Marées, et prenait la piste glissante jusqu'à la terre ferme. Les petits crabes décampaient et filaient de tous les côtés.

« Ce type, le peintre, il est revenu au Palace, hasarda-t-il.

— Vraiment ? fit Doc.

— Ouais ! Vous savez, il avait fait notre portrait à tous avec des plumes de poulets, y dit maintenant qu'y faut qu'y les refasse avec des coquilles de noix. Il dit qu'il a changé sa-sa-sa ma-ma-nière... »

Doc se mit à rire tout bas : « Il construit toujours son bateau ?

— Je pense bien ! Seulement, il a tout chamboulé. C'est un autre bateau. Pour moi, il va encore le démonter et le changer. Dites donc, Doc, vous pensez pas qu'il est marteau ? »

Doc jeta à terre son sac d'étoiles de mer, histoire de souffler un peu. « Marteau ? Oh ! si, sans doute. Marteau comme nous le sommes tous plus ou moins... Pas tout à fait de la même façon. peut-être. »

Du diable si Hazel se fût jamais avisé de cela ! Il se considérait lui-même comme un cristal, sa vie comme un faisceau de vertus incomprises. Il se sentit un peu blessé. « Mais ce bateau, protesta-t-il, il y a sept ans qu'il le construit ! Les ponts se sont mis à pourrir, et il a fait des ponts de ciment. Dès que son bateau est fin prêt, il chamboule tout et recommence. Moi, je crois bien qu'il est marteau. Sept ans après un bateau ! »

Doc s'était assis par terre et se débarrassait de ses bottes de caoutchouc. « Vous ne comprenez pas, émit-il gentiment. Henry adore les bateaux, mais il a peur de l'Océan.

— Alors, pourquoi est-ce qu'y veut un bateau ?

— Il aime les bateaux. Voyons, supposez qu'il finisse son bateau. Vous entendez d'ici les gens : " Il ne met donc pas son bateau à la mer ? " Il mettrait son bateau à la mer, mais il faudrait qu'il s'y embarque, or il déteste la mer ! C'est pourquoi, vous voyez, il ne finit pas son bateau, comme ça, il n'a pas beoin de le lancer. »

Hazel avait suivi le raisonnement jusqu'à un certain point, mais il l'avait lâché au beau milieu, occupé qu'il était à s'efforcer de changer de sujet. « Moi, je crois qu'il est marteau », répéta-t-il nonchalamment.

Sur le sol noir où se pressaient les usines à glace, rampaient une centaine de punaises. Certaines levaient leur queue en l'air. « Regardez

ces punaises puantes! fit observer Hazel, plein
de gratitude envers les punaises qui lui four-
nissaient son sujet.

— Elles sont intéressantes, dit Doc.

— Pourquoi est-ce qu'elles lèvent leur queue
en l'air? »

Doc roula ses chaussettes de laine, les fourra
dans ses bottes, se mit en devoir d'enfiler une
paire de chaussettes sèches et de chausser de
fines espadrilles. « Cela, je n'en sais rien, dit-il.
Je les ai observées récemment. Ce sont des animaux communs, et l'une des choses communes
qu'elles savent faire, c'est de lever la queue en
l'air. Je n'ai trouvé dans mes ouvrages aucune
mention de cet exploit. »

Du bout de son soulier mouillé, Hazel retourna
une punaise; la bête essayait rageusement de
se remettre sur ses pattes.

« Mais vous, vous avez un avis, pourquoi
lèvent-elles leur queue en l'air?

— Eh bien, à mon avis, c'est pour faire leur
prière.

— Quoi! s'exclama Hazel, très choqué.

— Ce qu'il y a d'étonnant, poursuivit Doc,
ce n'est pas qu'elles lèvent la queue en l'air,
mais que cela nous étonne. Nous ne pouvons
nous servir de nous-mêmes que comme unités
de mesure. Si nous nous adonnions à cet incroyable exercice, ce serait peut-être pour prier.
C'est peut-être qu'elles prient.

— Foutons le camp! dit Hazel. »

VII

Le Palais des Coups ne s'était pas fait en un jour. En vérité, lorsque Mack, et Hazel, et Eddie, et Hughie, et Jones s'y étaient installés, ils n'y avaient pas vu autre chose qu'un abri du vent et de la pluie, un coin où se réfugier quand ils seraient chassés de partout, après avoir légèrement *abusé*. En ce temps-là, le Palace n'était rien qu'une grande pièce nue, faiblement éclairée par deux lucarnes, avec des murs de bois vierges de peinture, puant fortement le poisson. L'endroit ne leur disait pas grand-chose. Mack eut d'emblée le sentiment que, pour un groupe d'individualistes de leur sorte, un certain genre d'organisation devenait indispensable.

Une troupe à l'entraînement, qui ne dispose ni de canons ni d'artillerie, se sert d'armes de comédie : ainsi, les recrues endurcies s'habituent au canon en maniant des roues de charrette.

Avec un morceau de craie, Mack avait dessiné cinq rectangles, sur le plancher — chacun sept pieds de long sur quatre pieds de large —, et il avait écrit un nom à l'intérieur de chaque rectangle. Cela représentait cinq pièces. Chacun chez soi. Et chacun disposant chez soi des droits sacrés et inviolables de la propriété. Si le voisin franchissait la ligne, le propriétaire avait parfaitement le droit de l'assommer. Le reste de la pièce était propriété commune. Cela se passait au commencement, lorsque Mack et les gars dormaient par terre et s'accroupissaient pour jouer aux cartes. Ils eussent fort bien pu continuer à vivre ainsi. Une pluie sans précédent, et qui tomba pendant un mois, vint tout changer. Coincés à la maison, les gars finirent par en avoir assez de s'asseoir par terre, de voir toujours ces sacrés murs nus. Cette maison qui les abritait, ils commençaient à s'y attacher. Et comment ne s'attacherait-on pas à une maison où l'on ne voit jamais surgir un insolent propriétaire! Car Lee Chong n'y venait jamais.

Certain après-midi, Hughie survint, portant un lit de camp dont la toile était déchirée. Il mit deux heures à le réparer avec un fin cordage. Toute la nuit qui suivit, les autres, couchés sur le plancher, dans leur rectangle, eurent le spectacle d'un Hughie s'ébattant gracieusement sur son lit, soupirant d'aise, et ronflant avant tout le monde.

Le lendemain, Mack apparut, portant un énorme paquet de ressorts rouillés qu'il avait dénichés dans les ordures. L'ère de l'apathie était arrivée à son terme. Les gars se surpassèrent si bien en vue d'embellir le Palace, qu'au bout de quelques mois, on ne savait plus où mettre les meubles. De vieilles carpettes jonchaient le plancher, et il y avait une foule de chaises, avec fond ou sans fond. La chaise-longue de Mack, une chaise longue d'osier, était peinte d'un rouge éclatant. Et il y avait des tables, et il y avait une vieille horloge sans cadran ni mouvement. Les murs avaient été passés à la chaux, ce qui les rendait presque clairs et presque accueillants. Des tableaux arrivèrent. Généralement des calendriers, représentant des blondes irréelles, serrant contre elles des bouteilles de coca-cola. Henry avait contribué à l'embellissement du Palais par deux tableaux de sa première manière, exécutés avec des plumes de poulet. Une gerbe de queues de chats, peintes en or, avait été accrochée dans un coin, et près de l'horloge, on avait mis un éventail de plumes de paon.

Du temps se passa avant qu'ils pussent se procurer un fourneau, mais quand ils eurent trouvé ce qu'il leur fallait, un monstre décoré de spirales d'argent, avec des fours couverts de fleurs, un devant pareil à un parterre de tulipes chromées, ils eurent quelques ennuis avant de pouvoir le faire entrer chez eux. Impossible de le chiper en douce — un morceau de cette taille ! — et son propriétaire refusait méchamment de s'en séparer au profit de la veuve malade, chargée de huit enfants, que ce brave cœur de Mack secourait soi-disant à ce moment-là. L'animal de propriétaire exigeait un dollar et demi, et ce ne fut qu'au bout de trois jours qu'il transigea à quatre-vingts cents. Les gars signèrent une reconnaissance de dette de quatre-vingts cents, que le propriétaire conserve certainement encore.

Le marché avait été conclu à Seaside ; le fourneau pesait cent cinquante kilos. Dix jours durant, Mack et Hughie épuisèrent toutes les combinaisons possibles de transport ; quand ils se rendirent compte que personne ne leur livrerait l'engin à domicile, ils décidèrent d'aller le chercher. Ils mirent trois jours à le transporter, car cela faisait un bout de chemin : huit à dix kilomètres! La nuit, ils campaient à côté. Quand il fut installé, ce fut la gloire du Palace, son centre, son foyer. Ses fleurs et son feuillage de nickel brillaient magnifiquement. A peine était-il allumé que la pièce entière était chauffée. Le four était une pure merveille ; pour frire un œuf, il n'y avait qu'à le casser directement sur l'un des beaux couvercles noirs qui recouvraient les ronds.

L'orgueil était entré dans la maison, avec le monstrueux fourneau ; avec l'orgueil, le sentiment d'avoir un chez soi. Eddie avait planté des belles-de-jour, pour les faire grimper devant la porte, et Hazel s'était procuré des fuchsias d'une espèce assez rare, il les avait plantés dans des bidons ; cela donnait de l'allure à l'entrée, en l'encombrant un peu, cependant. Mack et les gars s'étaient donc attachés au Palace, il leur arrivait même de le nettoyer de temps en temps. Ils commençaient à regarder par-dessus l'épaule les vagabonds franchement mal organisés qui n'avaient même pas de toit à eux, et, pour faire sa part à l'orgueil, ils ne dédaignaient pas d'amener un invité à la maison pendant un jour ou deux.

Eddie remplaçait le garçon de bar à *La Ida*. Whitey, le garçon habituel, tombait malade assez souvent. Quand Eddie occupait la place, chaque fois, plusieurs bouteilles disparaissaient, de telle sorte que les remplacements ne pouvaient pas être trop fréquents. Mais Eddie plaisait à Whitey : ça n'était pas un type à chiper la place d'un autre, Whitey le savait ; d'ailleurs, sur ce chapitre, tout le monde lui eût fait confiance. Au fond, Eddie n'avait pas à déménager tant de bouteilles. Il y avait sous le comptoir un bidon de cinq litres

et, sur le goulot du bidon, un entonnoir. Tout
ce qui restait dans les verres, Eddie le versait
dans l'entonnoir. Quand on chantait, à *La Ida*,
ou que les clients s'engueulaient, aux heures
tardives de la nuit, quand la bonne amitié trouve
son terme logique, Eddie jetait prestement dans
l'entonnoir les verres pleins à moitié ou aux
deux tiers. Ce qui en résultait, et qu'il emportait
au Palace était toujours intéressant — et parfois surprenant, il faut le dire. Régulièrement,
le mélange contenait de l'alcool de grain, de la
bière, du rhum, du whisky, du gin et du vin,
mais comme de temps en temps, un client épuisé
commandait une eau de seltz, une anisette, un
sirop ou un curaçao, cela donnait au mélange
un goût assez particulier. Avant de s'en aller,
Eddie avait toujours grand soin d'ajouter dans
le bidon quelques gouttes d'angostura. Quand
la nuit était bonne, le bidon se trouvait rempli
aux trois quarts. Personne n'en savait rien, et
cela donnait à Eddie une grande satisfaction. Il
avait remarqué qu'un homme peut se saouler
aussi bien avec un demi-verre qu'avec un verre
entier, le tout est d'avoir l'envie de se saouler.

Eddie était un des plus précieux locataires du
Palace. Les autres ne lui demandaient jamais
de participer au nettoyage, et même, un jour,
Hazel lui avait lavé jusqu'à quatre paires de
chaussettes.

Pendant l'après-midi où Hazel travaillait avec
Doc, dans le Bassin des Grandes Marées, les gars,
confortablement assis au Palace, étaient en train
de siroter le dernier mélange apporté par Eddie.
Gay, le nouveau venu, se trouvait là. En sirotant,
Eddie contemplait pensivement son verre, et
faisait un claquement des lèvres. « C'est tout de

même drôle, disait-il, comment ça tombe, avec les tournées. Regardez, cette nuit par exemple. Y a eu au moins dix types qu'ont commandé un Manhattan. Des fois, vous pouvez parfaitement passer un mois sans qu'on vous demande plus de deux Manhattan. Vous voyez, ce qui donne ce goût, c'est la grenadine. »

Mack goûta le sien — une fameuse gorgée — et remplit de nouveau son verre. « Oui, dit-il d'un air sombre, ce sont les petites choses qui font les nuances. » Il jeta un coup d'œil autour de lui, pour voir ce que les autres pensaient de la mixture. Gay était le seul à paraître lui rendre justice. « C'est sûr », opina-t-il.

« Mais où donc est passé Hazel ? » demanda Mack. Jones répondit : « Il est allé avec Doc, ramasser des étoiles de mer.

— Ce Doc est un sacré bougre de chic type, décréta Mack. Jamais y vous refuserait une thune. Quand je me suis coupé, y me changeait mon pansement tous les jours. Pour un bougre, c'est un sacré bougre! »

Les hochements de tête, autour de lui, dénotaient l'unanimité.

« Y a un petit bout de temps, reprit Mack, que je me creuse le ciboulot, et que je me demande ce qu'on pourrait bien faire pour lui. Ce qu'on pourrait faire de vraiment chic. Ce qui lui plairait...

— Une belle fille! suggéra Hughie.

— C'est pas ça qui lui manque, rétorqua Jones. Chaque fois qu'il en amène une, c'est pas difficile à deviner : il tire les rideaux, sur le devant, et y a son phono qui joue c't'espèce de musique d'église... »

Le silence envahissait la pièce. Mack se démenaît sur sa chaise longue. Hughie avait replié les pieds de devant de son transatlantique. Les regards se perdaient dans l'espace, puis se concentrèrent sur Mack. « Hum! » gronda Mack.

Eddie interrogea : « A votre avis, qu'est-ce que Doc peut bien aimer, en fait de réceptions?

— Y en a pas trente-six sortes », déclara John.

Mack intervint : « En tout cas, je suis sûr qu'il aimerait pas la mixture du bidon!

— Qu'est-ce que t'en sais? Tu y en as pas offert? protesta Hughie.

— Oh! je sais bien, dit Mack, ça, c'est un type qu'a de l'instruction. Une fois, j'ai vu entrer chez lui une dame avec un manteau de fourrure. Je l'ai jamais vue sortir. J'ai encore regardé à deux heures du matin, et la musique d'église marchait toujours. Non franchement, vous pourriez pas lui offrir ça. Il remplit son verre une fois de plus.

— Après le troisième verre, dit loyalement Hughie, c'est vraiment pas mauvais.

— Non, non, s'obstinait Mack, pas pour Doc! Il faudrait que ce soit du whisky, mais du vrai.

— Il aime la bière, fit remarquer Jones. On le voit toujours aller chez Lee pour chercher sa bière, quelquefois même en pleine nuit.

— Au fond, dit Mack, quand vous payez pour de la bière, qu'est-ce que vous avez? Vous avez huit pour cent de bière. Franchement, dépenser son argent pour qu'on vous donne quatre-vingt-douze pour cent d'eau, de couleur, de houblon, et d'un tas de cochonneries comme ça!... Eddie, tu pourrais pas nous barboter quatre ou cinq bouteilles de whisky, à *La Ida*, la prochaine fois que Whitey y sera malade?

— Bien sûr, répliqua Eddie, bien sûr que je

pourrais les barboter, seulement ce serait la fin :
on tuerait la poule aux œufs d'or. Je crois que
Johnnie se doute de quelque chose. Je me disais
que je me tiendrais tranquille un petit bout de
temps, que j'apporterais seulement le bidon...

— Oui, oui, s'exclama Jones. T'avise pas de
perdre ta place! S'il arrivait quelque chose à
Whitey, tu pourrais facilement y rester une
semaine avant qu'y trouvent quelqu'un d'autre.
Moi je crois que si on invite Doc, y faut y aller
pour du whisky, y faut l'acheter. Combien que
ça coûte, cinq litres de whisky?

— Oh! j'en sais rien, constata Hughie. J'en
ai jamais pris plus d'une demi-pinte à la fois
— à un moment, du moins. J'imagine que celui
qui en prend un quart, il se fait des amis tout
de suite. Mais vous pouvez toujours en boire
une demi-pinte avant... enfin je veux dire avant
d'avoir des tas de gens autour de vous.

— Évidemment, ça coûterait cher, si on faisait une soirée pour Doc, calculait Mack. Parce
que, si jamais on le faisait, faudrait que ce soit
une vraie soirée. Faudrait un gâteau du tonnerre!
Je me demande quand ça peut bien être son anniversaire?

— Pas besoin d'un anniversaire pour donner
une soirée! dit Jones.

— Bien sûr, reconnut Mack, seulement c'est
plus gentil. Ça coûterait bien... Voyons... bien
dix à douze billets pour offrir à Doc une soirée...
quèq'chose de pépère... »

Du regard, ils s'interrogèrent. Hughie fit une
suggestion : « L'usine Hediondo embauche du
monde...

— Non, fit prestement Mack. Ça non! On a
une bonne réputation, on va tout de même pas

la gâcher! On est capables de rester un mois dans une place. Et c'est pour ça qu'on peut toujours se faire embaucher quand on en a vraiment besoin. Supposez qu'on se fasse embaucher pour une journée ou deux, voyons, de quoi on aurait l'air, ce serait pas sérieux! Et puis après, quand on voudrait vraiment trouver une place, ce serait midi! »

L'assistance opina du chef.

« Moi, je crois que je vais me faire embaucher... pour oh! mettons deux mois... Novembre et une partie de décembre, confia Jones. Ce serait pas mal, d'avoir un peu de galette, au moment de Noël. Au moins, c't'année, on pourrait faire une dinde...

— Nom de Dieu, je pense bien qu'on peut avoir une dinde! proclama Mack. Je connais un coin, à Carmel Valley, où y en a un troupeau d'au moins quinze cents!

— ... Valley, répéta Hughie. Dites-donc, moi j'ai fait la Carmel Valley pendant pas mal de temps pour Doc : je lui ramassais des tortues, des écrevisses, et des grenouilles. J'avais vingt-cinq cents par grenouille.

— Ben moi aussi, dit Gay. J'ai même ramassé cinq cents grenouilles en une fois!

— Si Doc a besoin de grenouilles, ça nous ferait un petit capital, s'exclama Mack. Dites, on pourrait aller du côté de la rivière Carmel, on ferait la pêche, on dirait pas à Doc pour quoi que c'est faire, et on lui offrirait une soirée du tonnerre! »

Une atmosphère d'enthousiasme se mit à régner dans le Palace :

« Gay, dit Mack vivement, regarde donc si la voiture de Doc est devant sa maison. »

Gay sortit ses lunettes et regarda au dehors :
« Non, pas encore.

— Bon, c'est qu'il va rentrer d'une minute à
l'autre, conclut Mack. Écoutez-moi ; voilà comment qu'on va s'y prendre... »

VIII

En avril 1932, à l'usine Hediondo, le tube de la chaudière éclata trois fois en quinze jours. Le Conseil d'Administration, composé de Mr Randolph et de la dactylo, prit la décision d'acheter une nouvelle chaudière, estimant que cela reviendrait moins cher que de fermer l'usine aussi souvent.

La nouvelle chaudière fut donc livrée en temps voulu, la vieille chaudière fut remisée dans le terrain vague, entre la boutique de Lee Chong et le *Drapeau de l'Ours*, en attendant que Mr Randolph trouvât le moyen d'en tirer quelque argent. Petit à petit, l'ingénieur de l'usine en retira des pièces et des tuyaux, pour réparer le reste de l'outillage, plutôt défectueux. La chaudière ressemblait à une vieille locomotive dépourvue de roues. Une grande porte s'ouvrait à l'avant, une porte basse pour le feu. Avec le temps, la rouille l'avait brunie, rougie, les mauvaises herbes avaient poussé autour : la rouille leur donnait un regain. Le myrte grimpait sur ses flancs, l'anis sauvage embaumait ses entours. Une racine de datura avait fait sortir un gros arbre, qui faisait pendre ses grandes cloches blanches le long de la porte ; quand la nuit venait, les fleurs répandaient un parfum suave et captivant qui vous faisait fondre le cœur.

En 1935, monsieur et madame Sam Malloy emménagèrent dans la chaudière. La tuyauterie n'existait plus : cela faisait un logis très propre, très sûr, et très sec. Il faut bien dire que si l'on entrait par la porte du four, il fallait se mettre à quatre pattes, mais une fois que vous étiez dedans, vous étiez dans un bon espace et vous ne pouviez rêver, pour y vivre, d'endroit plus chaud. Ils entonnèrent un matelas par la porte du four, et s'installèrent. Monsieur Malloy était ravi, quant à madame Malloy, elle ne fut pendant quelque temps pas moins ravie.

Sur la colline, un peu plus bas que la chaudière, des conduits de grande dimension avaient été abandonnés par l'usine Hediondo un peu partout. Vers la fin de 1937, il y eut une saison de pêche prodigieuse, les usines travaillaient à plein, une crise du logement en fut le corollaire. Ce fut alors que monsieur Malloy eut l'idée de louer les conduits aux hommes seuls pour y dormir ; le tarif était abordable. Une feuille de papier goudronné fixée à une extrémité, un vieux bout de tapis à l'autre extrémité, cela faisait après tout des chambres confortables, bien que les hommes ne pussent dormir que recroquevillés. Il y en avait bien qui se plaignaient que l'écho de leur propre ronflement, répercuté par le conduit, les réveillait. Mais dans l'ensemble, c'était une bonne petite affaire pour monsieur Malloy ; il en était assez content.

Madame Malloy aussi s'était montrée contente, mais dès que son mari devint propriétaire, tout fut changé. Il lui fallait une couverture, puis il lui fallut une bassine, il lui fallut une lampe avec un abat-jour de soie! Un beau jour, étant entrée à quatre pattes dans la chaudière, elle se releva, tout essoufflée : « Il y a une grande réclame de rideaux, chez Holman. De vrais rideaux de dentelle, avec des volants bleus et roses. Un dollar quatre-vingt-dix-huit la paire, avec la tringle, les anneaux et le cordon !

Monsieur Malloy se redressa sur le matelas. « Des rideaux ? demanda-t-il, qu'est-ce que tu voudrais faire avec des rideaux, au nom du Ciel ?

— J'aime les belles choses, répliqua madame Malloy. J'ai toujours aimé avoir de belles choses pour toi. » Sa lèvre inférieure se mit à trembler.

« Mais ma chérie, s'écria monsieur Malloy, je n'ai rien contre les rideaux, je t'assure que j'aime les rideaux !

— Un dollar quatre-vingt-dix-huit seulement ! Tu cherches à me priver de tout pour un dollar quatre-vingt-dix-huit ! » Elle reniflait, sa poitrine se soulevait.

« Je ne cherche pas à te priver, mais, ma chérie, pour l'amour du Ciel, qu'est-ce qu'on ferait avec des rideaux ? On n'a p s de fenêtres ! »

Madame Malloy pleurait si fort que Sam dut la prendre dans ses bras pour la consoler. « Non, les hommes ne peuvent pas comprendre les sentiments d'une femme, sanglotait-elle. Ils n'essaieront jamais de se mettre à la place d'une femme ! »

Couché à ses côtés, Sam lui caressa longtemps le dos avant qu'elle s'endormît.

IX

Quand la voiture de Doc revint au Laboratoire, furtivement, Mack et les gars observèrent Hazel, occupé à rentrer les sacs remplis d'étoiles de mer. Quelques minutes plus tard, un Hazel plutôt mouillé franchissait le sentier des poulets, et faisait son entrée au Palace. Son pantalon était trempé d'eau de mer jusqu'aux cuisses ; aux endroits déjà secs, des cercles de sel blanc se formaient. Il se jeta lourdement dans le fauteuil à bascule, et envoya promener en l'air ses souliers de tennis trempés.

« Comment va Doc ? demanda Mack.

— Très bien, répondit Hazel. On ne comprend pas un mot de ce qu'il dit, mais à part ça... Dites-donc, vous savez ce qu'il dit à propos des punaises ? Non, vaut mieux pas vous le dire...

— Il a l'air d'êt' de bonne humeur, hein ?

— Pour sûr ! On a ramassé trois cents étoiles de mer. Y va très bien !

— Si on faisait une descente chez lui, hein, qu'est-ce que vous en dites ? » Mack se posait la question à lui-même et se répondit lui-même : « Non, après tout, vaudrait mieux qu'y en ait qu'un seul. Ça embrouillerait les choses, si on y allait tous.

— De quoi, de quoi ? » demanda Hazel.

Mack expliqua : « On a mijoté quelque chose. Je crois que je vais y aller tout seul, pour pas le bousculer. Vous autres, restez ici et attendez. Je reviens tout de suite ! »

De son pas balancé, Mack descendit le sentier des poulets, et traversa les rails. Monsieur Malloy était assis sur une brique devant sa chaudière.

« Alors, Sam, ça va ? demanda Mack.

— Ça va très bien.

— Et comment va vot' dame ?

— Pas mal non plus. Dites donc, vous connaîtriez pas un genre de colle, pour coller du tissu après du fer ? »

En temps ordinaire, Mack se serait jeté la tête la première, à la recherche d'une solution ; pour le moment, il ne se souciait pas d'être retenu. « Non ! » fit-il brièvement.

Il traversa le terrain vague, la Rue, et pénétra dans le sous-sol du Laboratoire.

Doc avait enlevé son chapeau : si un tuyau ne crevait pas, il n'y avait aucune chance pour que sa tête se mouillât. Il vidait les sacs pleins d'étoiles de mer et il les étalait sur le ciment. Les étoiles de mer étaient recroquevillées, attachées les unes aux autres, car elles adorent s'accrocher à quelque chose, et depuis plus d'une heure, elles n'avaient rien trouvé de mieux que de s'attacher entre elles. Doc les disposait en lignes droites ; elles revenaient lentement à leur forme première. Doc travaillait si sérieusement, que sa barbe en pointe en était humide de sueur. Il sourcilla, lorsqu'il vit Mack entrer. Ce n'était pas toujours un embêtement que Mack annonçait, mais il apportait toujours quelque chose d'assez insolite.

« Hello, Doc ! cria Mack.

— Ça va! répondit Doc avec inquiétude.

— Dites, vous avez entendu ce qu'on dit, à propos de Phyllis Mae, au *Drapeau de l'Ours*? Paraît qu'elle a tapé sur un ivrogne, il lui a mordu le poignet, paraît qu'elle est infectée jusqu'au coude. Elle m'a montré la dent, une dent qui venait d'un dentier. C'est-y du poison, les fausses dents, Doc?

— Je crois que tout ce qui sort d'une bouche humaine est empoisonné, émit Doc d'un air sentencieux. Elle a vu un docteur?

— Oh! on lui a arrangé ça...

— Je vais lui porter des sulfamides, ajouta Doc. Et il attendit la tempête. Mack était venu pour quelque chose, il le savait, et Mack savait qu'il le savait.

— Vous auriez pas besoin d'animaux en ce moment, Doc? »

Doc eut un soupir de soulagement : « Pourquoi? » Il restait pourtant sur ses gardes.

Mack s'ouvrait pour la confidence : « Je vais vous dire, Doc : moi et les gars, y faut qu'on trouve un peu d'argent, y a pas, faut qu'on en trouve. C'est pour quelque chose de très bien, on peut même dire pour quelque chose d'honorable.

— Le bras de Phyllis Mae? »

Mack entrevit une chance, la soupesa, l'abandonna.

« Eh bien... non. C'est beaucoup plus important que ça. Les filles, ça meurt jamais. Non, c'est pour autre chose. Moi et les gars, on a pensé que si vous aviez besoin de quelque chose, ben, on pourrait aller vous le chercher, et que ça nous ferait un peu de fric. »

C'était bien innocent, bien simple. Doc aligna quatre étoiles de mer sur le ciment. « Je pourrais avoir besoin de trois ou quatre cents grenouilles, dit-il. Je pourrais les attraper moi-même, mais il faut que j'aille ce soir à La Jolla, c'est grande marée à La Jolla, et j'ai besoin de quelques poulpes.

— C'est toujours le même prix, pour les grenouilles ? Cinq cents la pièce ?

— Toujours le même prix. »

Mack se sentait d'humeur joviale. « Vous en faites pas pour les grenouilles, Doc! On vous apportera autant de grenouilles qu'il vous en faut. Il y a qu'à aller les chercher à la Rivière Carmel. Je connais un coin.

— Parfait, acquiesça Doc. Je prendrai ce que vous m'apporterez, mais il m'en faut à peu près trois cents.

— Vous en faites surtout pas, Doc! Dormez tranquille. Vous aurez vos grenouilles, et peut-êt' bien sept ou huit cents! » Il s'efforçait de rassurer Doc au sujet des grenouilles, mais un petit nuage assombrit soudain sa figure : « Doc, articula-t-il, on pourrait pas se servir de vot' voiture pour aller jusqu'à la Vallée ?

— Mais non. Je viens de vous le dire. Il faut que je parte ce soir pour La Jolla, pour être demain à la marée...

— Oh! éjacula Mack, découragé. Eh bien, tant pis, vous en faites pas. On pourra peut-être avoir le vieux camion de Lee Chong. » Ses traits s'affaissèrent de nouveau : « Doc, pour une affaire comme celle-là, vous pourriez pas nous avancer deux ou trois biftons pour l'essence ? Sans ça je suis sûr que Lee Chong nous donnera pas d'essence...

— Non! » dit fermement Doc. Il avait déjà été pris une fois. Il avait envoyé Gay chercher des tortues, l'avait payé d'avance, lui avait donné de quoi vivre pendant quinze jours, et au bout des quinze jours, Gay était fourré en prison, sur la plainte de sa femme, et il n'était jamais parti à la chasse aux tortues.

« Tant pis!... On pourra sans doute pas y aller dans ces conditions-là! » proféra Mack tristement.

La vérité, c'est que Doc avait besoin de grenouilles. Il chercha le moyen de maintenir la chose sur le plan strict des affaires, et non point sur celui de la philanthropie. « Je vais vous dire ce que je peux faire, je vais vous donner un mot pour ma station d'essence : il vous en donnera dix bidons. Ça ira comme ça? »

Un sourire s'épanouit sur la face de Mack. « C'est épatant! Moi et les gars, on partira demain matin de bonne heure! Avant que vous soyez revenu, vous aurez les sacrées grenouilles, et plus que vous en avez vu dans tout' vot' vie! »

Doc se dirigea vers son bureau, et rédigea une note pour Red Williams, au poste où il se fournissait d'essence, l'autorisant à remettre à Mack dix bidons d'essence. « Et voilà! » fit-il.

Mack s'était épanoui : « Doc, vous pouvez dormir sur vos deux oreilles : vous en faites pas pour les grenouilles! Vous en trouverez plein les pots de chambre quand vous reviendrez! »

Ce ne fut pas sans un sourd malaise que Doc le regarda partir. Chaque fois qu'il avait eu affaire avec Mack et les gars, il les avait trouvés intéressants, mais les rapports n'avaient jamais été très profitables. Il se souvint du jour où Mack lui avait vendu quinze chats mâles ; le soir même les propriétaires étaient venus réclamer leurs chats et les avaient remportés. « Mais, Mack, lui avait-il fait observer, pourquoi seulement des mâles?

— Doc, lui avait répondu Mack, l'invention est de moi, mais je vais vous refiler le secret parce que vous êtes un copain. Vous faites une grande trappe en fil de fer, mais vous n'y mettez pas d'appât, vous y mettez seulement une chatte, et vous attrapez comme ça tous les mâles qui passent par là ! »

En sortant du Laboratoire, Mack traversa la rue et entra chez Lee Chong. Madame Lee était occupée à couper du lard en petites tranches sur un billot de boucher. Un cousin de Lee tapotait et dressait des laitues avec des gestes de jeune fille arrangeant ses ondulations ; un chat dormait sur un monceau d'oranges ; quant à Lee Chong, il était à sa place habituelle, entre les étagères garnies de bouteilles et le comptoir des cigares. Le tapotement de son doigt s'accéléra légèrement, lorsqu'il vit entrer Mack.

Celui-ci alla droit au but : « Lee, Doc est embêté. Il vient de recevoir une grosse commande de grenouilles, pour le Muséum de New York. Ça représente une grosse affaire, pour lui. C'est pas seulement une question de fric, ça fait du bruit un machin comme ça, vous comprenez, ça le posera. Il est obligé de partir pour le Sud. Moi et les gars, on a décidé de lui donner un coup de main. Entre copains, y faut s'aider. Surtout quand il s'agit d'un type comme Doc. Dites donc, il en dépense du fric chez vous : je parie qu'il en lâche au moins pour soixante, soixante-dix dollars tous les mois ? »

Lee restait silencieux : prudence. Son petit doigt gras paraissait à peine bouger, sur la rondelle de caoutchouc, mais un frémissement l'agitait, comme la queue d'un chat aux aguets.

Mack s'enfonçait dans son histoire : « Dites, vous voudriez pas nous prêter votre vieux camion, pour qu'on aille chercher des grenouilles dans la Vallée de Carmel ?... Pour Doc ? Pour le bon vieux Doc ? »

Lee sourit d'un air de triomphe. — Le camion ne marche pas, dit-il. Le moteur est bloqué.

Mack parut ébranlé pendant quelques instants, mais il se reprit. Il étala sur le comptoir la note de Doc, pour l'essence. « Tenez, avança-t-il. S'il en a besoin, de ses grenouilles !... Il m'a donné un bon d'essence pour qu'on aille les chercher. Je peux pas laisser tomber Doc. Je peux pas faire ça. Écoutez : Gay est un bon mécanicien. S'il vous répare votre camion, vous nous le prêterez ? »

Lee rejeta la tête en arrière pour pouvoir à son aise contempler le visage de Mack. L'offre paraissait régulière. Et c'était vrai que le camion ne marchait pas. Vrai que Gay était un bon mécanicien. Le bon d'essence était authentique. Il établissait la bonne foi.

« Combien de temps serez-vous parti ? demanda Lee.

— Peut-être une demi-journée, peut-être un jour. Juste le temps de pêcher les grenouilles ! »

Lee se sentait tracassé, mais n'apercevait pas le moyen d'en sortir. Le risque était évident, Lee le mesurait.

« Okay, dit-il.

— Ça va ! dit Mack. Moi je savais bien que Doc pourrait compter sur vous. Je vous envoie Gay, il va se mettre tout de suite au travail. » Il avait déjà fait demi-tour. « Au fait... Doc nous donne cinq cents par grenouille. On va en ramasser sept ou huit cents. Qu'est-ce que ça vous dirait, de nous avancer une bouteille d'*Old Tennis Shoes*, jusqu'à ce qu'on revienne avec les grenouilles ?

— Non ! » dit Lee Chong.

X

Frankie travaillait au Laboratoire de l'Ouest depuis qu'il avait onze ans. Il avait d'abord commencé par se tenir dehors, devant la porte du sous-sol pendant une semaine ou deux. Puis, avait franchi la porte. Dix jours plus tard, il était au milieu du sous-sol. Il avait de grands yeux, une masse de cheveux noirs, ébouriffés et poussiéreux. Ses mains étaient tout bonnement dégoûtantes. Il ramassa une ordure qui traînait, la jeta dans la poubelle, et s'approcha de Doc, occupé à coller des étiquettes sur des flacons pleins de liquide rouge. Un peu plus tard, il s'approcha du banc, passa dessus son doigt sale... Il lui avait fallu trois semaines, pour en arriver là, prêt à se sauver à tout instant.

Un jour, tout de même, Doc lui adressa la parole :

« Comment t'appeles-tu, mon garçon ?

— Frankie.

— Où habites-tu ?

— Là-haut. (Il fit un geste dans la direction de la colline.)

— Pourquoi n'es-tu pas à l'école ?

— Je ne vais pas à l'école.

— Pourquoi?

— Y veulent pas de moi.

— Tu as des mains joliment sales. Tu ne les laves jamais? »

Frankie parut très frappé; il se dirigea vers l'évier, frotta vigoureusement ses mains et, de ce moment-là, il ne manqua jamais de les frotter chaque jour à vif.

Il venait au Laboratoire tous les jours. C'était une association sans paroles. Un coup de téléphone avait suffi à Doc pour s'assurer que Frankie avait dit la vérité. On ne voulait pas de lui à l'école, c'était vrai. Il y avait quelque chose qui clochait dans ses réflexes de coordination; on ne pouvait rien lui faire apprendre. Pas de place pour lui. Ce n'était pas un idiot, il n'était pas dangereux, mais ses parents ne voulaient pas payer son entretien dans une institution spéciale. Frankie ne dormait pas souvent au Laboratoire, mais il y passait ses journées. Parfois, il se roulait dans une corbeille et y dormait. C'était sans doute quand il y avait une crise à la maison.

« Pourquoi viens-tu ici? lui demanda Doc.

— Parce que vous ne me battez pas, et que vous ne me donnez pas de sous.

— On te bat à la maison?

— Il y a toujours des oncles à la maison. Y en a qui me battent et qui me disent de fout' le camp, et d'autres qui me donnent des sous et qui me disent de fout' le camp.

— Où est-ce qu'il est, ton père?

— Mort! proféra Frankie d'un air vague.

— Et ta mère?

— Avec les oncles. »

Doc tondit la tête de Frankie et le débarrassa de ses poux. Il lui acheta un bleu de travail, chez

Lee Chong, un beau sweater rayé, et Frankie devint son esclave.

« Je vous aime! lui dit-il un jour. Oh! je vous aime! »

C'était un besoin pour lui de travailler au Laboratoire. Il balayait, tous les matins, mais il y avait tout de même en lui quelque chose qui clochait. Il n'arrivait jamais à avoir un plancher tout à fait propre. Il essayait d'aider à classer les crustacés, d'après leur taille. Il y en avait de toutes tailles, dans un seau. Il fallait les grouper, dans un large bassin, ceux de trois pouces ensemble, ceux de quatre pouces, et ainsi de suite. Frankie faisait un tel effort que la sueur inondait son front, mais il n'y arrivait pas : rien à faire. Le sens des proportions lui manquait.

« Non! disait Doc. Regarde, Frankie! Mets ton doigt à côté, tu verras bien ceux qui sont les plus grands. Celui-ci, tiens, il est grand comme ton doigt jusqu'au pouce. Tous ceux qui seront grands comme ton doigt jusqu'au pouce, tu n'as qu'à les ranger ensemble. » Frankie essayait bien, mais il n'y arrivait pas. Quand Doc monta au rez-de-chaussée, Frankie se fourra dans la caisse, et on ne le revit plus de l'après-midi.

C'était pourtant un bon, un beau petit garçon. Il avait appris à allumer les cigares de Doc, et il aurait souhaité le voir fumer tout le temps pour lui allumer son cigare.

Ce qu'il aimait par-dessus tout, c'étaient les réceptions qu'on donnait quelquefois là-haut. Quand les jeunes filles et les jeunes gens étaient assis, et qu'ils causaient, quand le grand phonographe jouait une musique qui lui résonnait dans le ventre et lui mettait devant les yeux de drôles d'images, mon Dieu! qu'il aimait cela! Alors, il

70

se blottissait dans un coin, derrière une chaise, personne ne le voyait, et il écoutait, regardait... Quand quelqu'un faisait une plaisanterie, et que tout le monde éclatait de rire, il ne comprenait pas, mais il riait doucement lui aussi, derrière sa chaise, et quand on parlait de choses sérieuses, son sourcil se fronçait, et il devenait très attentif, fixant intensément devant lui.

Certain après-midi, il fit une folie. Doc recevait quelques amis. Il se trouvait dans la cuisine, il versait de la bière dans les verres, Frankie apparut devant lui. Il attrapa un verre de bière, se précipita de l'autre côté de la porte, et le tendit à une jeune fille, enfoncée dans un grand fauteuil.

Elle prit le verre, elle lui dit : « Oh! merci! » et lui adressa un sourire.

Doc apparut près de la porte et déclara : « C'est que Frankie me rend grand service! »

Frankie ne pouvait pas oublier cela. Il tournait et retournait la phrase dans son esprit, revoyait tout : comment il avait pris le verre, et comment la jeune fille était assise dans son fauteuil, et sa voix : « Oh! merci », et la voix de Doc : « ... me rend grand service... Frankie... c'est que Frankie me rend grand service!... service... » Oh! mon Dieu!

Un autre jour, il eut la perception qu'une grande réception se préparait, car Doc avait acheté de la viande, et beaucoup, beaucoup de bière, et il lui avait permis de nettoyer tout le premier étage. Mais ce n'était encore rien. Un plan formidable s'était levé, dans la tête de Frankie, et il voyait déjà comment les choses se passeraient. Il se le répétait à n'en plus finir, il apprenait son plan par cœur. C'était magnifique. C'était parfait.

La réception commença donc, les invités arrivaient, s'asseyaient dans la pièce du devant, des hommes, des jeunes gens, des jeunes filles.

Il fallait que Frankie attendît d'être tout seul dans la cuisine et que la porte fût fermée. Cela demanda quelque temps. Mais à la fin, il fut tout seul, et la porte fermée. Il entendait tout de même le murmure des conversations et la musique du phonographe. Il fit les choses très calmement : tout d'abord le plateau, et puis les verres, faire bien attention de ne rien casser. Ensuite, verser la bière. Laisser l'écume fondre un petit peu, et puis verser de nouveau.

Et maintenant, il était prêt. Il prit une grande respiration et ouvrit la porte. La musique l'environna dans une bouffée, et le bruit de la conversation. Il saisit le plateau chargé des verres, et passa par la porte. Il savait comment procéder. Tout droit, il se dirigea vers la jeune fille qui lui avait dit « Oh! merci! » à la réception précédente. Et juste quand il fut devant elle, la chose se produisit, la coordination manqua, les mains s'agitèrent à tâtons, les muscles furent pris de panique ; les nerfs faisaient appel en vain, rien ne répondait. Le plateau et les verres tombèrent sur les genoux de la jeune fille. Frankie demeura immobile pendant quelques instants. Puis il se retourna et se mit à courir.

Un grand silence s'était fait dans la pièce. On l'entendit descendre précipitamment l'escalier, ouvrir la porte de la cave. Il se fit un bruit de choses renversées, et puis de nouveau le silence.

Doc descendit tranquillement jusqu'à la cave. Frankie était recroquevillé dans sa caisse, et gémissait. Doc se tint devant lui pendant quelques instants, puis il remonta tranquillement.

Qu'est-ce qu'il aurait pu faire ?

XI

Le camion de Lee Chong — une Ford, modèle T
— appartenait à l'Histoire. En 1923, il avait
servi de voiture de tourisme au Dr W.-T. Waters.
Il s'en était servi pendant cinq ans, puis l'avait
revendue à un agent d'assurances, un nommé
Rattle. M. Rattle n'était pas très soigneux. La
voiture, qu'il avait prise en bon état, il la conduisit
comme un fou. Le samedi soir, il se saoulait, et la
voiture s'en ressentait. Il avait cassé les pare-chocs
qui demeuraient tordus. Il appuyait toujours à
fond sur l'accélérateur, et il fallait sans cesse changer les freins. Quand Mr Rattle empocha l'argent
d'un client et prit la fuite vers San José, il fut
pincé en compagnie d'une femme blonde et coffré
pour dix jours.

Le véhicule était si délabré, que le propriétaire
suivant le coupa en deux et y attacha une petite
remorque. Il s'en servait pour transporter l'appât
destiné au poisson, et il aimait sentir une bonne
brise sur la figure. Il s'appelait Francis Almones,
il menait une triste existence, car il n'arrivait pas
à gagner ce dont il avait besoin pour subsister.
Son père lui avait laissé quelque argent, mais d'année en année, de mois en mois, quel que fût le mal

qu'il se donnait, l'argent fondait, fondait si bien que le malheureux n'eut plus qu'à disparaître.

Lee Chong avait hérité de la voiture, en paiement de la note d'épicerie. La voiture ne consistait guère qu'en un moteur sur quatre roues, encore, le moteur était-il si vieux, si capricieux, qu'il eût demandé pour fonctionner les soins et la considération d'un expert. Lee Chong n'avait pas engagé d'expert, de sorte que l'engin trônait derrière l'épicerie, et que les herbes foisonnaient entre les rayons de ses roues. Les pneus arrière étaient encore solides, on avait placé des pavés sous les roues avant, pour éviter le contact du sol.

Chacun des gars du Palais des Coups eût vraisemblablement pu faire marcher la machine, ils étaient tous bons mécanos, mais entre tous, Gay était un mécanicien de génie. Le terme n'a pas encore été créé, pour les mécaniciens de génie : il faudrait bien en trouver un! Il existe des hommes qui n'ont qu'à regarder, à écouter, à tripoter une vis ou un boulon, aussitôt la machine démarre! En vérité, il y a des hommes dont la seule présence inspire une machine. Gay était de ceux-là. Ses doigts se promenaient délicatement, amoureusement, sur un carburateur ou un filtre. C'était lui, au Laboratoire, qui installait et réparait les moteurs électriques. Il eût pu travailler tout son saoul aux conserveries, car dans cette industrie, où l'on pousse des clameurs quand on ne travaille pas à cent pour cent, l'outillage importe infiniment moins que la déclaration fiscale. Si les sardines pouvaient se conserver dans des caissettes de bois, cela ferait le bonheur des conserveurs. En ce temps-là, ils se servaient d'un outillage désuet, complètement détraqué, qui eût requis les soins constants d'un homme comme Gay.

Mack fit lever les gars de très bonne heure. Le café pris, l'escouade se rendit auprès du camion qui se prélassait dans les herbes. La direction des opérations avait été donnée à Gay. Il commença par flanquer un bon coup de pied dans les roues avant. « Allez me chercher une pompe, et gonflez-moi ça ! » ordonna-t-il en désignant les pneus. Puis, il enfonça une baguette dans le réservoir à essence, sous la planche qui servait de siège. Miracle : il y avait un centimètre d'essence dans le réservoir. Alors, il s'attaqua aux dégâts les plus vraisemblables. Il sortit la boîte de vitesse, la racla jusque dans les coins, ajusta les écrous, et les remit en place. Il démonta le carburateur pour s'assurer que l'essence passait bien, tourna la manivelle pour voir si les pistons fonctionnaient encore dans les cylindres.

Entre-temps, la pompe était arrivée ; Eddie et Jones se remplaçaient à tour de rôle pour gonfler les pneus.

Tout en travaillant, Gay chantonnait : « Ti-la-la Ti-la-la.. » Il enlevait les bougies, les limait, les décrassait, les réajustait, et puis, faisait couler un peu d'essence et la versait dans chaque cylindre. Enfin, il se redressa : « Il nous faudrait deux piles sèches. Allez donc voir si Lee Chong pourrait pas nous en passer une paire ! »

Mack s'en alla, puis revint, porteur d'un NON définitif, qui s'appliquait à toute demande présente et à venir.

Gay se plongea dans les réflexions. « Je sais bien où on en trouverait ! Et de fameuses ! Mais c'est pas moi qui irait les chercher !

— Où ça ? demanda Mack.

— Hé, chez moi, pardi, dans ma cave ! dit Gay. Elles servent pour la sonnette d'entrée. Si un de

vous peut se faufiler sans que ma femme l'aper-
çoive, elles sont en haut, à gauche, en entrant dans
la cave. Mais pour l'amour de Dieu, vous faites
pas pincer par ma femme! »

On tint conseil, Eddie fut désigné, il prit la direction de l'objectif. « Si elle te pince, hé, lui parle
pas de moi! » lui cria Gay comme il s'éloignait.
Et il se pencha sur les chaînes. L'une des pédales
ne s'abaissait pas complètement, une des chaînes
était lâchée, le frein touchait le sol, la marche
arrière était faussée. Sur le modèle T, la marche
arrière représente la marge de sécurité ; quand le
frein ne va plus, on peut utiliser la marche arrière,
et quand le changement de vitesse est trop usé
pour une forte montée, eh bien, il n'y a qu'à tourner
et appuyer. Gay s'aperçut que la marche arrière
était en ordre, il en conclut que tout irait bien.

Eddie, de retour avec les piles, c'était de bon
augure. Madame Gay était occupée dans la cuisine : pendant qu'il démontait les piles, Eddie l'entendait marcher. Il était fort dans ce genre de
choses.

Gay ajusta les piles, donna les gaz, ralentit l'allumage : « Pous ez-la au cul! » cria-t-il.

Quelle merveille, ce Gay, un vrai mécanicien du
bon Dieu, le saint François des choses qui tournent
et explosent, le saint François des roulements à
billes, des engrenages et des boulons!...

Une flexion, une toute petite flexion, et le moteur
se mit en marche, gronda, tourna, faiblit, s'arrêta,
reprit de nouveau. Gay donnait une petite avance
à l'allumage et réduisait les gaz. Il arrangea un
peu la magnéto, et la Ford de Lee Chong gloussa,
se secoua et ferrailla avec délices, comme si elle
comprenait que c'était pour un homme qui l'aimait
et la comprenait.

Deux autres petites difficultés se présentaient, mais celles-là d'ordre légal : la machine n'était pas immatriculée, et n'avait plus de phares, pas le moindre éclairage. Les gars suspendirent un chiffon, qui paraissait se trouver là comme par hasard, au-dessus de la plaque arrière ; quant à celle du devant, une bonne couche de boue fit l'affaire. L'équipement qui devait servir à l'expédition était léger : quelques filets à manches, pour attraper les grenouilles, et des cabas caoutchoutés. Les sportifs de la ville ont la manie de s'encombrer de victuailles et de boisson, mais ce n'était pas le genre de Mack. Il présumait logiquement que la mangeaille vient de la campagne : comme ils allaient à la campagne... Deux miches de pain, et ce qui restait dans le bidon d'Eddie, constituèrent toutes leurs provisions. Le petit groupe monta donc dans le camion, Gay conduisait, Mack, avait pris place à côté de lui. Ils passèrent devant l'épicerie, traversèrent le terrain, se frayant un chemin au milieu des tuyaux. Assis devant sa chaudière, Mr Malloy leur fit un signe de la main. Gay se sentit plus à son aise sur la chaussée, il prit le tournant délicatement, à cause des pneus qui, sur le devant, montraient la toile. En dépit de leur alacrité, ce ne fut que le soir qu'ils purent prendre le vrai départ.

Au poste d'essence de Red William, ils firent une arrivée superbe. Mack sortit son papier et le tendit à Red : « Doc est un petit peu à court d'argent. Si vous nous en mettez seulement cinq bidons, et si vous nous donnez un dollar pour le reste, ça fera parfaitement son affaire, il nous a dit de vous le demander. Il a été obligé de partir pour le Sud, vous comprenez, il va traiter là-bas une grosse affaire... »

Un charmant sourire s'épanouit sur la figure de

Red : « Oh! vous savez, Doc est un homme de précaution : il a justement mis le doigt dessus. Y a pas plus chic type que Doc. Il m'a téléphoné hier soir.

— Allez-y pour les dix bidons! dit Mack sans s'émouvoir... Non, attendez. Ça va sauter par-dessus bord, et se renverser. Mettez-en cinq, vous nous donnerez le reste dans un bidon, un de ces grands bidons plombés... »

Le sourire de Red s'élargit : « Doc a éventé ce truc-là aussi!

— Eh bien, mettez les dix bidons! Et faites bien attention de ne pas en laisser dans le tuyau! »

La petite expédition se garda bien de traverser le centre de Monterey. Une délicate pensée, relative aux deux plaques et aux éclairages induisit Gay à prendre les rues latérales. Quand ils auraient atteint la montée du Carmel et roulé quatre bons milles sur la grande route, il serait toujours temps de s'exposer aux regards indiscrets des flics. Gay prit une petite ruelle qui les amena directement sur la chaussée, à la barrière Peter, juste à l'endroit où commence la fameuse montée du Carmel. Il prit bruyamment la montée, mais au bout d'une trentaine de mètres, il eut beau appuyer sur l'accélérateur... Cela marchait en terrain plat, mais pour monter, c'était une autre affaire. Il s'arrêta, laissa la voiture glisser légèrement en arrière, et l'amena au bas de la montée, en la faisant tourner. A ce moment, il donna tous les gaz et appuya sur la pédale de la machine arrière. Celle-là fonctionnait tout au moins! Le camion grimpa lentement, mais fort résolument, l'arrière tourné vers la montée.

Ils y arrivèrent. Le radiateur émettait de gros bouillonnements, mais il faut dire que la grande majorité des experts en modèle T s'imaginent que rien ne va si le radiateur ne porte pas l'eau à ébullition.

Quelqu'un devrait se décider à écrire un essai sur les effets moraux, physiques et esthétiques du modèle T sur la nation américaine. Deux générations d'Américains en savent davantage sur les engrenages de la Ford, que sur le clitoris, sur le système planétaire de son changement de vitesse que sur le système solaire des étoiles. Chez nous, le modèle T a modifié pour une grande part la notion de la propriété. Les clefs anglaises ont cessé d'être un objet personnel, et une pompe pour gonfler les pneus appartient désormais à celui qui l'a ramassée le dernier. Un très grand nombre des bébés de l'époque a été conçu dans le modèle T, et beaucoup y sont nés. La fameuse théorie du « home » anglo-saxon a été tellement bouleversée qu'elle ne s'en remettra jamais.

La bagnole contourna vigoureusement le sommet de la colline, traversa la route de Jack Peak, et allait s'attaquer au tournant le plus raide, quand le moteur se mit à éternuer, à souffler et à s'étrangler... Le silence devint impressionnant, lorsque le moteur s'arrêta. Gay, qui se trouvait de toute façon dans une descente, fit encore une centaine de mètres, puis s'arrêta à l'entrée de la route.

« Qu'est-ce qui se passe ? demanda Mack.

— Ça doit être le carburateur ! » lui confia Gay. Sous l'effet de l'intense chaleur, la machine craquait, le jet de vapeur, en tombant sur la tuyauterie, faisait un bruit qui ressemblait au sifflement d'un crocodile.

Le carburateur du modèle T n'est nullement compliqué, mais il a besoin de toutes ses pièces pour fonctionner. Il comporte une aiguille de valve dont la pointe est logée dans une cavité ; s'il en est autrement, le carburateur ne marche pas.

Gay prit l'aiguille en main, et s'aperçut que la pointe était cassée : « Comment diable a-t-elle pu se casser ? Vous avez une idée, vous autres ?

— C'est de la magie, dit Mack, de la pure magie. Tu crois que tu pourras l'arranger ?

— Diable non ! Faut que j'en trouve une autre.

— Ça coûte cher ?

— Un dollar, à peu près, si tu l'achètes neuve, vingt-cinq cents chez un bricoleur.

— T'as un dollar ?

— Ouais... mais j'ai besoin d'un dollar.

— Bon... Ben alors, dépêche-toi de revenir, on va rester ici, on t'attendra !

— Ce qu'il y a de sûr, c'est que vous ne pouvez pas marcher sans une aiguille de valve ! » affirma Gay. Et il s'éloigna sur la route. Il lui fallut héler du bras trois voitures avant que l'une d'elles s'arrêtât. Les gars ne devaient pas le revoir avant cent quatre-vingts jours.

Oh ! l'infini du possible ! Pourquoi la voiture qui recueillit Gay eut-elle une panne avant d'arriver à Monterey ? Si Gay n'avait pas été mécanicien dans l'âme, il ne l'aurait pas réparée. S'il ne l'avait pas réparée, son propriétaire ne l'aurait pas emmené chez Jimmy Brucia pour boire un verre. Et pourquoi, justement ce jour-là, était-ce l'anniversaire de Jimmy ? De toutes les possibilités qui rôdent et se frôlent en ce bas monde — des millions de possibilités — seuls se produisent les événements qui mènent à la prison de Salinas. Sparky Enea et Tiny Coletti s'étaient réconciliés, et ils aidaient Jimmy à célébrer son anniversaire. La blonde entra. Une dispute s'éleva, autour de la boîte à musique. Le nouvel ami de Gay, qui s'y connaissait en fait de lutte, voulut montrer un truc formidable à Sparky, et se cassa le poignet : le truc n'allait pas. Et il fallait aussi qu'un flic eût mal à l'estomac, et qu'une foule de petits détails s'accumulent, dans le même sens... Le sort voulait que Gay fût tenu à l'écart de la pêche aux grenouilles, le sort s'est donné un mal fou, il a employé des tas de gens, suscité des tas d'accidents pour tenir Gay à l'écart de la pêche. Quand la bagarre fut à son paroxysme, et que la vitrine du bottier Holman fut réduite en miettes, et que les gens se mirent à essayer les chaussures qui se trouvaient en vitrine, il n'y eut que Gay pour ne pas entendre la sirène des pompiers. Il n'y eut que lui qui ne courut pas vers l'incendie ; quand les flics arrivèrent, ils le trouvèrent assis tout seul dans la vitrine de Holman, portant une chaussure de cuir jaune à un pied, une chaussure vernie à l'autre, avec une guêtre grise pardessus.

Quand le soir tomba et qu'il commença à faire froid, avec l'humidité qui venait de la mer, les gars allumèrent un petit feu derrière le camion. Dans la brise fraîche, les pins bruissaient au-dessus d'eux. Les gars s'étendirent sur le lit d'aiguilles de pin, contemplant à travers les branches le ciel solitaire. Ils avaient d'abord évoqué les difficultés que le malheureux Gay devait rencontrer pour trouver une aiguille de valve, mais le temps passait, et ils ne mentionnèrent plus son nom.

« On aurait dû l'accompagner ! » remarqua Mack.

Vers dix heures, Eddie se remit sur ses pieds.

« Il y a un camp en construction, là-haut, sur la colline, dit-il. Je m'en vais voir s'ils n'auraient pas, par là, un modèle T. »

XII

Monterey est une ville qui possède de longtemps une brillante tradition littéraire. On s'y
souvient avec plaisir et non sans gloire que
Robert-Louis Stevenson a vécu là. Il a sûrement
donné à *L'Ile au Trésor* la topographie et le
plan côtier de la Pointe Lobos. En des temps
plus récents, quantité de gens de lettres se sont
installés autour du Carmel, mais on n'y sent
plus le parfum ancien, l'antique dignité des vieux
temps de la littérature. La ville, un jour, reçut
un outrage que les citoyens furent unanimes à
considérer comme une insulte aux belles-lettres.
Cela concernait la mort de Josh Billings, le grand
humoriste.

A l'endroit où se trouve maintenant le nouveau
bureau de poste, il y avait naguère un ravin,
avec de l'eau courante et un petit pont jeté par-
dessus. D'un côté du ravin, se dressait un joli
rocher, et de l'autre côté, la maison du docteur
qui veillait sur la ville, et régnait sur les morts,
les naissances et les maladies. Il travaillait aussi
sur les animaux, et ayant étudié en France, il
allait même jusqu'à donner dans la mode nouvelle d'embaumer les corps avant qu'ils ne fussent

enterrés. Les partisans du bon vieux temps n'aimaient pas cela, les uns disaient que c'était bien sentimental, les autres prétendaient que tout cela ne rimait à rien, d'autres enfin trouvaient cette pratique sacrilège, puisqu'elle n'est pas prévue dans les livres sacrés. Les riches cependant y venaient et cela commençait à prendre.

Un beau matin, le très vieux Mr Carriaga était en train de faire son tour : parti de chez lui, au bas de la colline, jusqu'à la rue Alvarado, il était justement en train de passer sur le petit pont, lorsque son attention fut attirée par un gamin et par un chien qui sortaient du ravin. Le petit garçon tenait un foie à la main, tandis que le chien traînait des intestins au bout desquels pendait un estomac. Mr Carriaga s'arrêta et s'adressa poliment à l'enfant :

« Bonjour! »

En ce temps-là, les petits garçons étaient fort bien élevés : « Bonjour, monsieur!

— Où t'en vas-tu avec ce foie?

— Je m'en vais attraper des maquereaux, avec un appât! »

Mr Carriaga eut un sourire : « Et le chien, il va aussi attraper des maquereaux?

— Le chien a trouvé ça. C'est à lui, monsieur. On a trouvé ça dans le ravin! »

Mr Carriaga sourit encore, continua sa promenade mais son esprit se mit au travail. « Ce n'est pourtant pas un foie de bœuf, c'est trop petit. Ce n'est pas non plus un foie de veau, c'est bien trop rouge! » Son esprit alerté retournait le problème dans tous les sens. Au premier coin de rue, il rencontra Mr Ryan.

« Quelqu'un est mort cette nuit à Monterey? demanda-t-il.

— Non, pas que je sache, répondit Mr Ryan.
— Et on n'a tué personne?
— Mais non! »

Ils marchèrent de conserve, et Mr Carriaga lui raconta l'histoire du chien et du petit garçon.

Au *Bar du Rocher*, les clients s'étaient assemblés pour la petite parlotte matinale. Mr Carriaga conta de nouveau son histoire, à peine avait-il terminé, qu'un agent entra dans le bar. Celui-là au moins devait savoir s'il s'était produit un décès. « Non, personne n'est mort à Monterey, déclara-t-il, mais Josh Billings est mort, à l'Hôtel del Monte! »

Un silence se fit. La même pensée s'insinua dans les esprits. Josh Billings était un grand homme, un grand écrivain. Il avait honoré Monterey, il mourait à Monterey et voilà qu'on le déshonorait. Sans discussion, un comité se forma, composé de tous ceux qui se trouvaient là. L'austère cortège se dirigea d'un pas ferme vers le ravin, traversa le petit pont, et vint frapper à la porte du docteur qui avait étudié en France.

Il avait travaillé très tard. Le coup de marteau le fit sortir du lit, et l'amena à la porte, en chemise de nuit, les cheveux et la barbe en désordre. Mr Carriaga s'adressa sévèrement à lui :

« Vous avez embaumé Josh Billings?
— Mon Dieu... oui...
— Qu'est-ce que vous avez fait de ses entrailles?
— Eh bien... Je les ai jetées dans le ravin, comme je le fais toujours. »

Ils le firent s'habiller rondement et partirent au pas de course vers la plage. Si le petit garçon s'était mis tout de suite à la besogne, il serait trop tard. Quand la délégation survint, le gamin montait en bateau. Les intestins étaient restés sur le sable où le chien les avait laissés. On obligea le docteur français à les ramasser. Il dut les laver pieusement et enlever le sable qui s'y était collé. On lui fit payer de ses deniers la boîte de plomb qui fut introduite dans le cercueil de Josh Billings. La ville de Monterey n'admettait pas qu'on jetât le déshonneur sur un écrivain.

XIII

Mack et les gars dormirent paisiblement sur leur lit d'aiguilles de pin. Un peu avant l'aube, Eddie était de retour. Il lui avait fallu faire un long détour avant de trouver un modèle T. Mais dès qu'il en dénicha un, il se demanda s'il était sage de retirer l'aiguille de sa logette. Elle pourrait ne pas s'adapter à leur camion. Aussi décidat-il de prendre le carburateur tout entier. Les gars ne s'étaient pas réveillés. Il s'étendit à côté d'eux et s'endormit. Ce qu'il y avait d'agréable, avec le modèle T, c'est que ses pièces n'étaient pas seulement interchangeables, mais encore impossibles à identifier.

De la pente du Carmel, la vue est magnifique : la courbe de la baie frangée d'écume, les dunes qui entourent Seaside, et dans le fond, au pied de la colline, la chaude intimité de la ville...

Mack se leva avec le jour, secoua son pantalon, et, debout, contempla la baie. Des barcasses rentraient. Un bateau-citerne pompait de l'huile, devant Seaside ; derrière Mack, les lapins s'ébattaient dans les buissons. Le soleil montait, secouant dans l'air le frais de la nuit, comme on secoue un tapis. Dès qu'il sentit les premiers rayons du soleil, il frissonna.

Tandis qu'Eddie posait le nouveau carburateur, les gars mangèrent une tartine. Maintenant, tout était prêt, mais nul ne se souciait de tourner la manivelle, ils poussèrent ensemble la voiture dans la descente ; une brève manœuvre, et elle se mit en marche. C'était Eddie qui conduisait. Dans la Vallée du Carmel, les champs d'artichauts étalaient leur ton vert-de-gris, des saules pleureurs bordaient la rivière. Ils tournèrent à gauche, au-dessus de la Vallée. Un coq roux, qui s'était aventuré trop loin de sa ferme, traversa la route : Eddie put l'assommer sans faire une trop grande embardée. Hazel, installé à l'arrière, s'empara de lui pendant que la voiture roulait toujours, en laissant s'envoler les plumes que la brise matinale porta jusqu'à Jamesburg ; quelques-unes même volèrent jusqu'à la mer.

C'est une charmante petite rivière que la Rivière Carmel. Pas très longue, mais déroulant sur son parcours tout ce qu'une rivière modèle peut dérouler. Elle prend sa source dans les montagnes, descend doucement, puis court en terrain plat, forme un lac, passe une digue, s'enfièvre autour des galets ronds, flâne paresseusement sous les sycomores, s'étale dans des bassins à truites, et longe les rives où vivent les écrevisses. Elle devient torrent en hiver — une féroce petite rivière — mais en été, les enfants peuvent y patauger et les pêcheurs s'y promener. Les grenouilles sautent au-dessus des rives, les fougères foisonnent. Les biches et les renards viennent y boire secrètement, matin et soir, et de temps en temps un lion de la montagne s'y vautre tout en lapant son eau. Son eau qui abreuve les jardins et les vergers des fermes de la petite vallée. Au crépuscule, elle retentit des appels de la caille

et du cri des canards sauvages en quête de grenouilles, les rats d'eau trottent sur ses bords ;
elle réalise en somme l'idéal parfait de la rivière.

Dans le haut de la vallée, à quelques milles
de la source, elle baigne un grand rocher couvert
de vigne vierge et de buissons. A la base de ce
rocher, c'est un bassin, vert et profond, mais
de l'autre côté du bassin, se trouve une étendue
de sable, où il fait bon s'asseoir et pique-niquer.

Ce fut là que Mack et les gars s'installèrent
avec délices. C'était le rêve. S'il y avait des grenouilles, elles ne pouvaient être que là. Le lieu
idéal du repos, le lieu du bonheur. En chemin,
la veine les avait servis. En plus du gros coq
rouge, il y avait un sac de carottes qui était
tombé d'un camion, et une demi-douzaine d'oignons qui n'étaient pas de même provenance.
Mack avait emporté un petit sac de café dans
sa poche, ils avaient trouvé un bidon dans le
camion, un bidon vide de cinq litres, pourvu
d'une grande ouverture ; la bonbonne qui venait
du bar était encore à moitié pleine, on avait
pensé au sel et au poivre, Mack et les gars consi-
dérant que les voyageurs s'embarquant sans sel,
sans poivre et sans café ne sont que de pauvres
abrutis.

Sans se donner grand mal, presque sans y
penser, on roula quatre galets ronds sur la petite
plage. Et le coq imprudent se trouvait à présent
plumé et démembré au fond du bidon de cinq
litres, entouré d'eau et couronné d'oignons, tandis qu'un tout petit feu brûlait doucement entre
les galets. Un tout petit feu : il n'y a que les fous
pour faire de grands feux. Autant qu'on pouvait
en juger, ce coq serait très long à cuire, car il
lui avait fallu très longtemps pour atteindre cette

taille. Mais dès que l'eau se mit à bouillir, il dégagea un parfum délicieux.

« Les grenouilles, dit Mack, ça vit la nuit! Je suis donc d'avis qu'on se repose jusqu'à ce qu'y fasse noir. »

Ils s'installèrent à l'ombre, et puis, l'un après l'autre, ils s'allongèrent et s'endormirent.

Mack ne se trompait pas. Tant qu'il fait jour, les grenouilles ne bougent guère, elles se cachent sous les buissons et regardent discrètement entre les pierres. Mais la meilleure façon de les attraper, c'est la nuit, avec des lumières. Les gars dormaient, songeant que la nuit serait mouvementée. Hazel fut le seul à se réveiller, pour ranimer le feu sous le coq en train de cuire.

Sous le rocher, on ne connaît pas d'après-midi doré. Quand le soleil passe au-dessus du rocher, vers deux heures, l'ombre s'étend sur la petite plage.

Les sycomores froufroutèrent sous la brise, de petits serpents d'eau glissèrent le long des pierres, puis rentrèrent gentiment dans l'eau, nagèrent jusqu'au bout du bassin, leur tête dressée comme de petits périscopes, un sillage d'argent derrière eux; une grosse truite sauta, les moustiques, qui fuient le soleil, firent leur apparition, leur petite musique vibra au-dessus de l'eau, pendant que les mouches, les libellules, les frelons, les guêpes, les bourdons retournaient chez eux. Mack et les gars se réveillèrent au premier cri de la caille, comme l'ombre envahissait la petite plage; l'odeur du coq était à faire défaillir. Hazel avait cueilli une feuille de laurier toute fraîche et l'avait glissée dans le bouillon, avec les carottes. Le café mijotait dans sa boîte de fer blanc, sur un petit feu spécialement allumé,

mais à distance de la flamme, pour éviter l'ébullition.

Mack, réveillé, s'étira, entra dans le bassin,
s'y lava la figure entre ses mains, cracha, se
rinça la bouche, souffla, resserra sa ceinture,
se gratta les jambes, passa ses doigts mouillés
dans ses cheveux, avala une gorgée de la mixture
du bidon, rota, et s'assit près du feu : « Nom de
Dieu, ça sent rudement bon! » s'exclama-t-il.

Tous les hommes font à peu près la même chose,
quand ils s'éveillent. Les autres imitèrent son
exemple, ils se trouvèrent donc tous assis autour
du feu, Hazel plongeant la pointe de son couteau
dans les cuisses du coq : « Il ne sera jamais ce qu'on
appelle tendre; faudrait qu'y cuise pendant
15 jours... Mack, quel âge peut-il bien avoir?

— J'ai quarante-huit ans, mais je suis loin d'être
aussi dur! décréta Mack.

— Jusqu'à quel âge ça peut-il vivre, un coq,
interrogea Eddie... Je veux dire s'il meurt de sa
belle mort et s'il n'est pas malade?

— Ça, personne ne l'a jamais su! » fit Jones.

On se sentait bien. Le bidon circulait, on se sentait réchauffé en dedans.

« Eddie, soupira Jones, je n'ai pas l'intention
de me plaindre. Mais je me disais... Supposons que
tu trouves... disons deux ou trois bidons au bar...
Si tu mettais le whisky dans l'un, le vin dans l'autre, et la bière dans le troisième? »

Un silence — une gêne générale — suivit l'insolite suggestion.

« Remarquez, reprit Jones, que ce que je dis là,
c'est pour causer. Ça me plaît comme ça! » Jones
s'enferrait, il avait fait la gaffe, et il aurait dû
s'arrêter. « Ce qu'il y a de bien, tel que c'est là,
c'est qu'on ne sait jamais quel goût ça aura. Quand

vous prenez un whisky, mon Dieu, vous savez ce que vous allez boire... enfin, plus ou moins... le type qu'a envie de se battre, y se bat, le type qu'a envie de pleurer, y pleure, mais ça... (il se fit magnanime), avec ça, vous ne savez jamais si ce que vous buvez ne va pas vous faire grimper en haut d'un arbre, ou vous faire partir à la nage pour Santa Cruz... C'est beaucoup plus drôle! ajouta-t-il faiblement.

— En parlant de nager, interrompit Mack, s'efforçant de reprendre le dé de la conversation, de stopper Jones, je me demande ce que Mac Kinley est devenu. Vous vous rappelez, ç'ui qui nageait sous l'eau?

— Si je m'en souviens! déclara Hughie. On a si souvent fait la bringue ensemble! Y chômait souvent, le pauv' vieux, et alors il s'est mis à boire! Ça vous pompe un homme : nager et boire! Et puis il a eu des tas d'embêtements. Il a fini par vendre ses fringues, à se saouler, ah! mais alors à se saouler! on l'a plus revu. Je ne sais pas où il est parti... »

Mack, une fois de plus, expertisait le contenu du bidon. « Il a gagné un argent fou, pendant la Prohibition! Vingt-cinq dollars par jour, qu'il touchait du Gouvernement, pour aller pêcher les flacons au fond de l'eau, et Louis lui collait trois dollars, chaque fois qu'il revenait bredouille... Pour garder le business, et faire plaisir au Gouvernement, il ne remontait les fioles qu'une fois par jour. Louis s'en foutait. Y s'était arrangé pour qu'y ait pas d'autres plongeurs. Je crois bien qu'il en a gagné, du pèze, Mac Kinley!

— Ouais, opina Hughie. Mais il était comme tout le monde... On gagne des sous et on n' pense pus qu'à se marier. Il a été marié trois fois avant d'être dans la panade. Moi, je voyais les choses venir. Chaque fois qu'il achetait un renard blanc — pan! on savait qu'il allait se marier...

— Avec tout ça, je me demande ce qui est arrivé à Gay, articula Eddie. C'était la première fois qu'on en reparlait.

— La même chose, sans doute, professa Mack. Faut jamais se fier à un homme marié! Il a beau détester sa femme, il y reviendra toujours. Y se met à réfléchir, à se faire des idées, et y finit par y retourner. Vous pouvez plus vous fier à lui. Gay, par exemple, sa femme le roue de coups. Eh ben, je vous parie qu'au bout de trois jours, une fois qu'il est parti, y s'imagine que c'est de sa faute, et y court se remettre avec elle! »

Ils mangeaient lentement, délicatement, tenant le morceau en main, jusqu'à ce qu'il fût bien refroidi, et détachant la viande de l'os. Ils attrapèrent les carottes avec de fines baguettes de coudrier, puis se passèrent le bidon à la ronde pour avaler le bouillon. La nuit les enveloppait avec le velouté d'une musique. Les cailles s'appelaient au ras de l'eau, une truite sauta dans le bassin, les insectes, au-dessus de l'eau, se mêlaient à la nuit. Ils se passèrent la boîte de fer qui contenait le café ; ils étaient repus, ils avaient chaud, ils se taisaient. Et à la fin, Mack éclata : « Ah! nom de Dieu, j'aime pas qu'on mente!

— Qui donc qui t'a menti? demanda Eddie.

— Oh! un type qui raconte une histoire, pour se débrouiller, pour soutenir la conversation, moi je m'en balance, mais ce que j'aime pas, c'est le type qui se ment à lui-même...

— Qui qu'a fait ça? demanda Eddie.

— Moi! dit Mack. Et vous aussi. Peut-êt' bien! Voilà! — Il était sérieux. — On est tous des sa-

93

lauds. On voulait soi-disant offrir une petite fête
à Doc. Et total, on est venus ici et on rigole. Pis
on reviendra, et on prendra le fric de Doc. Comme
on est cinq, on boira cinq fois plus que lui. C'est
pour nous qu'on le fait. C'est pas pour Doc. On
devrait pas faire ça à Doc, c'est un trop chic type.
Moi je veux pas le rouler, c'est pas mon genre.
Une fois, je l'ai refait d'un dollar. Je l'ai fait marcher. Eh ben je me suis aperçu qu'il comprenait
bougrement bien que je le faisais marcher. Alors,
j'y ai dit : " Doc, c'est une blague, une sacrée sale
blague ! " Eh ben, il a mis sa main dans sa poche
et il a sorti un dollar, et il m'a dit : " Mack, un
type qui raconte des blagues pour avoir un dollar,
faut qu'il en ait rudement besoin ", et il m'a donné
le dollar. Je l'ai jamais dépensé. Je l'ai gardé jusqu'au lendemain, et j'y ai rendu.

— Je connais personne comme Doc pour se
plaire à une petite fête, dit Hazel. Moi je dis que
faut lui donner une fête. Pourquoi on lui donnerait
pas une fête ?

— Je sais pas, répondit Mack. Ce que je veux
pas, c'est lui donner quelque chose et pis en douce
en profiter.

— Et si on lui faisait un cadeau ? suggéra
Hughie. On pourrait lui acheter du whisky, on
lui donnerait, et y ferait ce qu'y voudrait avec.

— Ça, c'est parler ! proclama Mack. C'est ce
qu'y faut faire ! On lui donne le whisky et on fout
le camp !

— Mais vous savez ce qui se passera, remarqua
Eddie. Henri et tous ces types du Carmel, vont
renifler le whisky, et au lieu de cinq, y en aura
vingt ! Une fois, Doc m'a dit que quand il faisait
frire un steak, ça se sentait depuis chez lui jusqu'à la Pointe. A mon avis, y sera beaucoup

94

moins refait si on lui donne la fête nous-mêmes. »

Mack pesait l'argument. « T'as peut-êt' raison! Tout de même, si on lui donnait autre chose que du whisky : par exemple des boutons de manchette, avec ses initiales?

— T'es maboul, fit Hazel. Comme si Doc mettait ces trucs-là! »

Maintenant, la nuit était tombée, le ciel s'était criblé d'étoiles. Hazel avait ranimé le feu, et cela donnait l'impression de se trouver dans une petite chambre claire, au milieu de la plage. On entendit un renard glapir sur la colline, le parfum de la sauge emplissait la nuit, au sortir du bassin l'eau bouillonnait sur les galets...

Mack soupesait toujours le dernier argument, lorsque le bruit d'un pas retentit : ils se retournèrent. Un homme approchait, large de stature, le visage brun. Il portait un fusil ; un chien — un pointer — marchait timidement derrière lui.

« Que diable faites-vous là? demanda l'homme.

— Rien! dit Mack.

— Vous n'avez pas vu la pancarte? " Défense de chasser, de pêcher, d'allumer des feux, de camper. " Allez, ramassez vos affaires, éteignez ce feu, et déguerpissez rondement! »

Très humble, Mack s'était mis debout.

« On ne savait pas, mon capitaine. Vrai, on n'a pas vu la pancarte, mon capitaine!

— Il y a des pancartes partout. Vous ne pouviez pas ne pas les voir.

— Écoutez, mon capitaine. On a fait une blague et on s'excuse, plaida Mack. (Il fit une pause, considéra attentivement la silhouette de l'homme.) « Vous êtes militaire, monsieur, hein? Moi, là-dessus, on me la fait pas. Je reconnais les militaires à leurs épaules, ils ont pas les épaules faites comme les autres. Je suis resté si longtemps dans l'armée. Moi, là-dessus, vous savez... »

Imperceptiblement, l'homme redressa ses épaules.

« Je ne permets pas qu'on fasse des feux dans ma propriété!

— Ça, y a pas : on est désolés, dit Mack. On va filer tout de suite, mon capitaine. Vous comprenez, on est en train de travailler pour des savants. On essayait de ramasser quelques grenouilles. Y font des recherches sur le cancer, ça fait plaisir de les aider en leur apportant des grenouilles... »

L'homme hésita quelques instants : « Qu'est-ce qu'ils font, avec ces grenouilles?

— Eh bien, voilà, dit Mack, ils fichent le cancer aux grenouilles, et alors y z'étudient, enfin, y font des expériences, y z'ont presque trouvé, y z'ont seulement besoin qu'on leur apporte des grenouilles. Mais si vous voulez pas de nous dans vot' propriété, capitaine, oh! ça, alors, on file!... Si on avait su, vous pensez bien qu'on serait pas venus! »

Et soudain, Mack fit mine d'apercevoir le chien pour la première fois : « Ah! sapristi, pour une belle chienne, c'est une belle chienne! s'exclamat-il avec enthousiasme. On dirait tout à fait Nola, celle qu'a eu le premier prix en Virginie, au concours de l'année dernière. C'est un chien de Virginie, mon capitaine? »

Le capitaine hésita avant de proférer le mensonge :

« Oui, dit-il brièvement. Malheureusement, elle boite, elle a une plaie à l'épaule. »

La sollicitude de Mack atteignit le comble.

« Vous permettez que je regarde, mon capitaine? Viens ici, ma fille, allons, viens! » (La chienne leva les yeux vers son maître et avança vers Mack.) « Mets-moi donc des branches dans le feu, que je puisse mieux voir! » lança Mack, du côté d'Hazel.

— C'est à l'endroit où elle ne peut pas se lécher, dit le capitaine en se penchant par-dessus l'épaule de Mack, pour voir aussi.

Mack fit sortir un peu de pus d'un vilain cratère étalé sur l'épaule du chien. « J'ai eu un chien, dit-il, qui a eu la même chose, il a été piqué par une tique, il en est mort. Elle vient d'avoir des petits, pas vrai?

— Oui, opina le capitaine. Six. Je lui mets de l'iodine sur sa plaie.

— Non! C'est pas ça qui fait sortir le pus. Vous n'avez pas des sels d'Epsom, à la maison?

— Mais si... un grand flacon!

— Bon. Vous allez lui faire un bon cataplasme chaud avec des sels d'Epsom. Elle est faible,vous comprenez, à cause des petits. Ce serait malheureux, tout de même, si elle tombait malade en ce moment! Vous perdriez les petits, par-dessus le marché! »

Profondément, la chienne regardait Mack dans les yeux. Elle lui lécha la main.

« Je vais vous dire ce que je vais faire, mon capitaine. C'est moi qui vais la prendre en mains. Des sels d'Epsom, c'est ça qu'y faut. Y a rien de meilleur. »

Le capitaine caressait la tête de la chienne :

« Vous savez, il y a un étang plein de grenouilles près de chez moi, il y en a tellement qu'on ne peut plus dormir la nuit. Si vous veniez voir? Elles coassent des nuits entières! Je serais joliment content de m'en débarrasser!

— Ah! ça, c'est chic de vot' part! clama Mack. Si les savants y savaient ça, pour sûr qu'y vous

97

diraient merci. Mais ce que je voudrais, d'abord, ce serait de lui mettre un bon cataplasme, à c'te chienne! (Il se retourna vers les copains) : Éteignez-moi ce feu-là! Et faites bien attention qu'y reste pas une étincelle, nettoyez-moi bien tout autour. Faut laisser tout en ordre! Le capitaine et moi, on va partir devant, soigner Nola. Vous, mes enfants, vous nous suivrez dès que vous aurez mis tout ça en ordre! »

Mack et le capitaine s'éloignèrent. Du bout du pied, Hazel enterrait les tisons dans le sable : « Ce Mack, moi je vous dis qu'y pourrait être président des États-Unis, s'y voulait, murmura-t-il.

— A quoi que ça l'avancerait? » observa Jones. Ça doit pas être rigolo tous les jours!

XIV

Le lever du jour est un moment magique, dans
la Rue de la Sardine. Quand le soleil n'a pas encore
percé l'horizon gris, la Rue paraît suspendue hors
du temps, enveloppée d'une lueur d'argent. Les
réverbères sont éteints, l'herbe prend des tons
d'émeraude, la ferraille des conserveries prend des
reflets de perle, de platine, et d'étain vieilli. Pas
encore d'automobiles. Le progrès, les affaires, tout
dort. Rien que le va-et-vient des vagues contre les
pilotis des conserveries. C'est la paix absolue, c'est
le repos, le temps lui-même s'est effacé. Les chats
sortent des buissons, glissent sur terre à pas siru-
peux, à la recherche des têtes de poissons. Les chiens
matineux paradent majestueusement, en quête
eux aussi, de leur provende. Les mouettes aux ailes
déployées viennent se poser côte à côte sur les
toits des conserveries, attendant leur festin d'ordures. La brise marine, venue de la Station Hopkins, porte l'aboiement des lions de mer, on dirait
celui d'une meute ; l'air est frais ; derrière les
maisons, dans les jardins, les taupes sortent de leurs
trous, bousculent les petits monticules de terre
emperlée de rosée, et ramènent des fleurs dans
leurs trous. Presque personne : juste ce qu'il faut

pour donner l'impression de la solitude et de l'abandon. Une fille de chez Dora revient de chez un client, trop riche ou trop malade pour aller jusqu'au *Drapeau de l'Ours*. Son maquillage est un peu empâté, et ses pieds paraissent très las. Lee Chong sort ses poubelles et les dépose sur le trottoir. Le Chinois sort de l'Océan et fait clapoter sa semelle le long de la rue, au-delà du Palace. Les gardiens de nuit sortent des conserveries et clignent des yeux devant la lumière matinale. Le costaud du *Drapeau de l'Ours*, en manches de chemise, fait quelques pas devant le porche, bâille, et se gratte l'estomac. Les ronflements des locataires de monsieur Malloy évoquent la résonance d'un tunnel. C'est l'heure emperlée, à mi-chemin de la nuit et du jour, lorsque le temps s'arrête et s'interroge.

Par un de ces matins, sous cette même lumière, deux soldats et deux filles flânaient paresseusement dans la rue. Ils sortaient de *La Ida*, ils étaient fatigués, béats. C'étaient deux filles vigoureuses et larges de poitrine, dont les cheveux blonds voletaient et retombaient en mèches folles. Habillées de robes de soirée en rayonne imprimée, un peu pendantes, un peu fripées. Chaque fille était coiffée d'une casquette militaire, l'une d'elles l'avait posée tout à fait en arrière, l'autre avait ramené la visière sur le bout de son nez. Elles avaient de grosses lèvres, de gros nez, des croupes de percherons, et elles étaient très fatiguées.

Les soldats avaient déboutonné leur tunique et passé leur ceinture dans leurs épaulettes, ils avaient défait leur cravate afin de pouvoir ouvrir leur col, et ils avaient coiffé les chapeaux des filles : l'un avait le chef adorné d'une paille jaune surmontée d'un bouquet de pâquerettes, l'autre portait un bonnichon de tricot blanc décoré de médaillons de cellophane bleue. Soldats et filles se tenaient par la main et balançaient leurs mains en mesure. Le soldat qui marchait sur le bord du trottoir portait un cabas de papier brun, rempli de bière en boîtes, et tous quatre avançaient doucement dans la lumière aux tons nacrés : ils venaient de passer une nuit du tonnerre de Dieu, et la vie était rudement belle. Et ils souriaient comme sourient les enfants au souvenir d'une fête. Chaque couple se regardait, souriait, et balançait ses mains de plus belle. En passant devant le *Drapeau de l'Ours*, ils saluèrent le gérant d'un « Hi-Ya! » retentissant, et le ronflement qui sortait des tuyaux les fit rire. Une petite pause devant la vitrine de Lee Chong, où les outils, les vêtements et les victuailles s'étalaient en désordre, forçant l'attention. Bras balancés et pieds traînants, ils atteignirent le bout de la rue, et tournèrent, à la voie ferrée. Les filles s'étaient mises à marcher sur un rail, et pour les empêcher de tomber, les soldats entouraient de leurs bras les tailles épaisses...

Ils passèrent ensuite devant le chantier des bateaux et franchirent le beau jardin de la Station Hopkins, devant laquelle s'étend une plage en miniature, entre deux petits récifs. Les charmantes vagues matinales léchaient la plage en poussant des soupirs charmants, le varech embaumait, sur les rochers. Comme ils débouchaient sur la plage, un rayon de soleil s'alluma au-dessus de la baie, étala de l'or sur les eaux, du jaune de chrome sur les rochers. Les filles s'assirent cérémonieusement sur le sable, en tirant leurs jupes sur leurs genoux. L'un des soldats perça des trous dans les boîtes contenant la bière, et les passa à la ronde. Et puis, les hommes s'allongèrent, la tête posée sur les genoux des filles et le regard levé vers elles. Ils se souriaient, ils échangeaient un las, un paisible, un merveilleux secret.

On entendit un chien aboyer, du côté de la Station : le gardien de nuit, un corps sombre et morose, les avait aperçus, et son cocker, un chien sombre et morose comme lui, les avait aperçus aussi. Il les interpella, mais ne les voyant pas bouger, il vint à eux, suivi d'aboiements monotones.

« Vous avez pas fini de vous coucher là? Sortez-moi de là! Vous êtes dans une propriété privée! »

Les soldats faisaient mine de ne pas l'entendre. Ils se contentaient de sourire, les filles arrangeaient leurs cheveux. A la fin, lentement, l'un des soldats tourna la tête, et sa joue s'enterra entre les genoux de la fille. Il eut un sourire charitable pour le gardien : « Pourquoi, que vous allez pas faire un petit tour dans la lune? » lui demanda-t-il avec bonté, puis il se retourna pour contempler la fille.

Le soleil jouait sur ses cheveux blonds, elle lui chatouilla l'oreille. Ils ne s'aperçurent même pas que le gardien était retourné chez lui.

XV

Pendant que les gars se dirigeaient vers la maison, Mack était déjà installé dans la cuisine. Il avait étendu la chienne à terre, et il pressait contre sa plaie une serviette saturée de sels d'Epsom. Les chiots s'ébattaient autour du ventre de l'animal, s'efforçant de trouver ses mamelles, et la bête attachait sur Mack un regard patient : « Hein! vous voyez ce que c'est! J'ai essayé de le lui dire, mais il ne comprend pas... »

Le capitaine tenait la lampe et abaissait son regard sur Mack : « Je suis content d'être fixé...

— Monsieur, je voudrais pas me mêler de vos affaires, mais y faudrait me sevrer ces petits! Elle n'a plus une goutte de lait, ces petits-là vont la mettre à plat!

— Je sais bien! déplorait le capitaine. J'aurais dû les noyer et en garder seulement un. Mais vous voyez, j'ai tant à faire pour faire marcher cette maison! Les gens ne s'intéressent plus aux chiens de chasse. Il n'y en a plus que pour les dobermans et les boxers...

— Je sais, je sais. Mais vous me direz ce que vous voudrez, y a rien de tel qu'un pointer, pour un homme. Moi, je sais pas ce qui prend les gens. Mais

103

vous les auriez pas noyés, tout de même, hein, monsieur, vous auriez pas pu ?

— Heuh! fit le capitaine, depuis que ma femme s'occupe de politique, moi je deviens fou! Elle a été élue à l'Assemblée de district, et quand il n'y a pas de session, elle fait des conférences. Et quand elle est à la maison, elle est plongée dans les paperasses et écrit des articles!

— Mais alors, c'est la mort, ici... enfin, je veux dire... vous devez vous sentir bien seul, reprit Mack. Moi je vous garantis que si j'avais un petit chiot comme ç'ui-ci — il en ramassa un — ça ferait un rudement beau chien dans trois ans. Je m'arrangerais chaque fois pour qu'il ait une chienne...

— Ça vous ferait plaisir d'en avoir un ? » demanda le capitaine.

Mack leva son regard vers lui : « Vous voulez dire... vous m'en donneriez un? Bon Dieu, si ça me ferait plaisir!

— Eh bien, faites votre choix, dit le capitaine. On dirait qu'il n'y a plus personne, à présent, pour comprendre les chiens de chasse. »

Les gars se trouvaient maintenant réunis dans la cuisine et tiraient rapidement leurs conclusions. De toute évidence, la maîtresse de maison était absente : les boîtes de conserves ouvertes, la poêle à frire, avec ses restes d'omelette dentelée, les miettes répandues sur la table, la boîte de douilles de cartouches laissée ouverte par-dessus la boîte à biscottes, tout clamait l'absence de la femme, mais, par contre, les rideaux blancs, les papiers sur les étagères, et les petites serviettes de toilette sur le porte-serviettes, disaient qu'elle avait passé là. Les gars se réjouissaient au fond d'eux-mêmes de son absence. Le genre de femme qui pose du papier colorié sur les étagères et se sert de petites serviettes comme celles-là, n'était pas fait pour attirer leur sympathie. De telles femmes, mais ce sont des pestes pour les foyers : elles offrent la pensée et la camaraderie au lieu de l'ordre et de la propreté. Quelle chance, qu'elle eût été absente!

Plus le temps passait, plus le capitaine se persuadait que les gars lui faisaient une faveur. Il n'avait plus du tout envie de les voir partir. « J'imagine, mes enfants, dit-il en hésitant un peu, que vous ne détesteriez pas vous réchauffer un peu, avant de sortir pour pêcher la grenouille ? »

Les yeux des gars se fixèrent sur Mack. Celui-ci fronçait le sourcil, comme s'il pesait le pour et le contre. « C'est qu'on se fait une règle de pas toucher une bouteille quand on travaille pour la science... », puis, percevant sans doute qu'il avait été un peu loin : « Enfin, vous avez été tellement gentil pour nous que, ma foi, je me laisserais aller pour un petit verre. Quant aux gars, heu..., je sais pas ce qu'y z'en pensent... »

Les gars se déclarèrent d'accord pour un petit verre. Le capitaine prit une lampe électrique et se dirigea vers la cave. Ils l'entendaient remuer des caisses, des bûches de bois ; quand il remonta, il tenait dans les bras un petit tonnelet de bois de cinq litres qu'il posa sur la table. « Au temps de la Prohibition, je me suis procuré un peu de whisky de grain, je l'ai mis de côté. Je me dis, justement, que ce ne serait pas désagréable, de voir un peu ce qu'il est devenu. Il commence à devenir vieux — je l'avais presque oublié... Ma femme... vous comprenez... » Il n'alla pas plus loin : les gars avaient compris. Le capitaine ôta la bonde du petit tonnelet et prit des verres sur l'étagère bordée de papier dentelé.

Pas commode de verser des « petits verres » avec un tonnelet de cinq litres! Chacun des gars fut bientôt nanti d'un verre à eau, rempli jusqu'à moitié d'un alcool mordoré. Cérémonieusement, ils attendirent que le capitaine se fût servi, puis ils portèrent un toast « à la rivière! » et levèrent le coude. Ils avalaient de grosses gorgées, faisaient entendre des clappements de langue, se léchaient les lèvres, et leur regard se faisait lointain.

Mack scrutait le fond de son verre, comme si quelque message venu du ciel était inscrit au fond. Il releva les yeux : « Y a vraiment rien à dire! » Il fit une pause : « C'est pas du truc comme ça, qu'ils vous mettent dans les bouteilles! » Il aspirait profondément, suçant son souffle : « J'ai jamais rien goûté de si bon! »

Le capitaine avait l'air ravi. Son regard erra du côté du tonnelet : « Ma foi oui, il n'est pas mauvais. On pourrait peut-être en reprendre un peu... qu'est-ce que vous en dites? »

Mack scruta le fond de son verre une seconde fois.

« Peut-être bien... Alors, un tout petit... Vous pensez pas que ce serait plus commode de le mettre d'abord dans un pichet? Sans ça, vous risquez de le renverser... »

Deux heures plus tard, l'idée leur vint qu'ils étaient venus pour autre chose.

Le bassin aux grenouilles était rectangulaire : cinquante pieds de large sur soixante-dix de long, et quatre pieds de profondeur. Des plantes grasses poussaient sur ses bords, un petit ruisseau amenait l'eau de la rivière et en sortait en direction des vergers. Pour contenir des grenouilles, il en contenait : et par milliers! Leur voix battait la nuit, elles grondaient, aboyaient, coassaient, lançaient d'étranges trilles, vers les étoiles, vers la lune, vers les herbes mouvantes — chants d'amour et chants de défi.

Dans le noir, les gars marchaient vers le bassin. Le capitaine portait un pichet de whisky à peu près plein, chacun des gars portait son verre, et chacun une lampe électrique qui marchait bien. Hughie et Jones portaient les sacs caoutchoutés. Dès que les grenouilles les entendirent, la nuit assourdie de leurs chants se fit brusquement silencieuse. Mack, les gars et le capitaine s'étaient assis pour en boire encore « un petit » et pour dresser leur plan de campagne. Plan audacieux.

Depuis des millénaires qu'hommes et grenouilles vivent dans le même monde, il est probable que l'homme a toujours chassé la grenouille. Les méthodes de la fuite et de la poursuite se sont certainement développées. Armé d'un filet, d'une flèche, d'une lance ou d'un fusil, l'homme s'approche sans bruit, croit-il, vers la grenouille. La tradition exige que la grenouille se tienne tranquille, tout à fait tranquille, et qu'elle attende. D'après les règles du jeu, la grenouille doit attendre jusqu'au dernier quart de seconde l'instant où le filet descend, où la lance est dans l'air, où le doigt presse sur la détente, pour faire un saut, se plonger dans l'eau, et nager jusqu'au fond, pour y attendre le départ du chasseur. C'est ainsi que les choses se font, ainsi qu'elles se sont toujours faites. Les grenouilles ont tout lieu de penser qu'elles se feront toujours ainsi. De temps en temps, le filet est si vif, la flèche si bien lancée, le fusil a si bien visé, qu'une grenouille est prise, mais le jeu est joué loyalement et il est en tout point conforme à la nature des choses. Là contre, les grenouilles n'ont rien à dire.

Mais comment diable auraient-elles pu deviner la méthode instaurée par Mack ? Comment auraient-elles pu prévoir l'horreur qui s'ensuivit ? L'irruption brusque des lumières, les appels et les cris des hommes, la ruée insensée de leurs pieds ? Chaque grenouille fit un bond, sauta dans l'eau, et nagea frénétiquement vers le fond du bassin. Mais, disposés en ligne, les hommes étaient entrés dans le bassin, piétinant tout, écrasant tout, déployant leur ligne démente au-dessus de l'eau, mettant abominablement leurs pieds partout. Prises de panique, les grenouilles, chassées de leurs paisibles trous, nageaient, nageaient frénétiquement devant la ligne des pieds fous, mais les pieds avançaient toujours ! Les grenouilles sont bonnes nageuses, mais elles n'ont qu'une faible endurance. Le moment vint, où elles furent toutes rassemblées, traquées à l'extrémité du bassin. Les pieds les y avaient suivies, des corps sauvages se penchaient. Quelques grenouilles ayant perdu la tête, sautèrent au-dessus des pieds envahisseurs : elles furent sauvées. La majorité s'était décidée à quitter à jamais le bassin, à émigrer vers un autre pays où ce genre de choses ne se produit pas. Une vague de grenouilles affolées, des grosses, des petites, des brunes, des vertes, des mâles, des femelles, fit irruption sur la rive, sautant, rampant, grouillant. Elles essayaient d'escalader les herbes, et se chevauchaient l'une l'autre, les petites montées sur les grosses.

Alors, abomination de la désolation, les lampes électriques les décelèrent ! Ils se mirent à deux, à deux hommes pour les rassembler comme des cerises. La ligne humaine sortit de l'eau, et on les mit en tas, les malheureuses, comme on eût fait de pommes de terre. Des dizaines, des centaines d'entre elles passèrent dans les sacs de caoutchouc, grenouilles lasses, grenouilles désolées, affolées, ruisselantes et cabriolantes. Bien entendu, il y en eut qui se sauvèrent, d'autres étaient restées dans le bassin ; on ne les compta pas, mais il y en avait bien six ou sept cents. Mack ficela joyeusement les sacs. Les hommes étaient trempés, l'air s'était rafraîchi. Pour ne pas prendre froid, on en but encore « un petit » avant de rentrer à la maison.

Le capitaine ne s'était peut-être jamais tant amusé : il le devait à Mack et aux gars. Un peu plus tard, quand les rideaux prirent feu, et furent jetés, en même temps que les petites serviettes, le capitaine leur assura que cela n'avait aucune importance. Non, c'était un honneur pour lui, de les laisser brûler sa maison s'ils en avaient envie. « Ma femme est merveilleuse, leur dit-il en guise de péroraison. C'est la plus merveilleuse des femmes. Elle aurait vraiment dû être un homme. Si elle avait été un homme, je ne l'aurais pas épousée. » Cela le fit rire très longtemps, il le répéta trois ou quatre fois, et décida de bien se rappeler cette réflexion, afin de pouvoir la redire à des tas de gens.

Il remplit une jarre de whisky, et il en fit cadeau à Mack. Il rêvait de partir avec eux et de vivre parmi eux au Palais des Coups. Si seulement sa femme connaissait Mack et les gars, elle en serait folle. Cela dit, il s'endormit sur le plancher, la tête au milieu des chiots. Mack et les gars s'en versèrent encore un petit coup et contemplèrent leur hôte sérieusement.

« Hein? il me l'a donnée, la jarre de whisky, vous avez entendu? demanda Mack.

— Je pense bien qu'il te l'a donnée, confirma Eddie, je l'ai entendu!

— Et il m'a donné un petit chiot?

— Pour sûr qu'il t'a dit de faire ton choix! On l'a tous entendu, hein?

— J'ai jamais roulé un homme saoul, c'est pas maintenant que je commencerai! déclara Mack. Faut tout de même qu'on sorte d'ici. Y va se sentir tout chose, quand y se réveillera, et y va nous met' tout sur le dos, ça c'est couru! Ah! non, je veux pas rester ici! » Mack jeta un coup d'œil sur les rideaux brûlés, sur le plancher trempé de whisky et de traces de chiots, sur la graisse de lard coagulée après le fourneau. Il se dirigea vers les chiots, les examina soigneusement, tâta les os, souleva les paupières, retroussa les babines, et fit choix d'une petite chienne superbement tachetée, d'œil noir et de museau grenat. « Viens, viens, chérie », murmura-t-il.

Il souffla la lampe, à cause du risque d'incendie; l'aube commençait à poindre lorsqu'ils quittèrent la maison.

« Je crois que j'ai jamais fait un si beau petit tour, dit Mack, mais l'idée m'est venue, comme ça, que sa femme pouvait revenir, et ça m'a donné froid dans le dos... C'est vraiment un type épatant. Seulement, y faut comme qui dirait l'apprivoiser. » Il se dirigeait vers l'endroit où ils avaient parqué la Ford. « Faudrait pas se met' à oublier qu'on fait tout ça pour Doc! Comme les choses se présentent, j'ai comme une idée que Doc est un type qu'est verni! »

XVI

Les filles de chez Dora ne furent sans doute jamais plus occupées qu'en ce fameux mois de mars de la pêche miraculeuse. Ce n'était pas seulement les sardines, qui s'étaient laissé capturer par billions, apportant avec elles un flot de richesses : un nouveau régiment s'était installé au Presidio, et chacun sait que le soldat dépense, quand il arrive quelque part. Pour comble, Dora manquait de personnel à ce moment-là : Eva Flanegan était partie se reposer à Saint-Louis, Phyllis Mae s'était cassé la jambe en descendant de l'aquaplane à Santa Cruz, et Elsie Double-bottom avait commencé une neuvaine, et ne pensait guère à autre chose.

Tout le long de l'après-midi, les matelots de la flotte sardinière, les poches pleines, entraient, sortaient de la maison. Ils prenaient la mer à la tombée du jour, pêchaient toute la nuit, et s'amusaient l'après-midi. Le soir, les soldats faisaient irruption, le piano mécanique jouait en permanence, ils buvaient des coca-cola et s'emparaient des filles, les jours où ils avaient touché leur solde. Dora se débattait au milieu de ses ennuis fiscaux, victime de l'équivoque qui voulait que son commerce fût illégal, mais qu'il fût en même temps passible de l'impôt. Ajoutez à cela qu'en dehors des nouveaux clients, il y avait les réguliers, les anciens, les fidèles clients qui fréquentaient l'établissement depuis des années : les ouvriers des carrières, les hommes des fermes avoisinantes, les cheminots, tous ceux qui entraient par la porte de devant, et les autorités de la ville, ainsi que les gros industriels, qui venaient par la porte de derrière, en passant par les petits chemins, et qui avaient leurs salons réservés.

Tout ce mois-là, le travail avait donc été terrifiant, et il avait fallu, pour comble, que l'épidémie d'influenza survienne en même temps! Toute la ville en fut atteinte. Mme Talbot et sa fille, au San Carlos Hotel, l'attrapèrent. Tom Work l'attrapa, Benjamin Peabody et sa femme l'eurent aussi. Maria Antonia Fiel n'y échappa pas, la famille Gross tout entière fut sur le flanc.

Les docteurs de Monterey devenaient fous — il y en avait cependant assez pour soigner le courant normal des maladies et accidents, mais ils ne suffisaient plus aux clients qui, s'ils ne payaient pas leurs notes, avaient pourtant de quoi les payer. La Rue de la Sardine, dont la population est certainement plus vigoureuse que celle du reste de la ville, résista quelque temps à la contagion, mais finalement elle céda. On ferma les écoles. On ne comptait plus une maison qui n'abritât des enfants secoués par la fièvre et des parents au lit. Ce n'était pas une épidémie meurtrière, comme elle le fut en 1917, mais avec les enfants, cela dégénérait généralement en mastoïdite. La corporation médicale était sur les dents, d'autant plus éprouvée que la Rue de la Sardine n'avait pas une très bonne réputation, du point de vue financier.

Doc, du Laboratoire Biologique de l'Ouest, n'avait pas le droit d'exercer la médecine. Si chacun venait le consulter, il n'y était pour rien. Avant de s'en apercevoir, il s'était donc trouvé courant de taudis en taudis, administrant des médicaments, manipulant le thermomètre, empruntant et livrant des couvertures, et portant même des aliments de maison en maison, suivi des yeux par des mères aux yeux rouges qui l'accablaient de leurs actions de grâce. Quand un cas tournait mal, il téléphonait au docteur le plus proche, qui consentait à se déranger si la chose présentait vraiment un caractère d'urgence. Pour les familles, la chose présente toujours un caractère d'urgence. Doc ne dormait donc pas beaucoup. Comme il se trouvait chez Lee Chong, en train d'acheter sa bière, il rencontra Dora, qui cherchait une pince à ongles.

« Vous avez l'air claqué, remarqua Dora.

— Et je suis claqué! admit Doc. Je n'ai pas fermé l'œil depuis huit jours!

— Oh! je sais, dit Dora. Ça ne va pas du tout. Et puis, ça vient à un mauvais moment...

— Enfin, nous n'avons pas eu de décès, jusqu'à présent. Mais il y a des enfants très pris. Les petits Ransel font tous de la mastoïdite.

— Est-ce que je peux être bonne à quelque chose? demanda Dora.

— Bien sûr que oui. Les gens sont tellement affolés, tellement démunis. Les Ransel, par exemple. Ils ont une peur bleue, et surtout une peur bleue d'être tout seuls. Si vous pouviez aller les voir, ou une des filles... »

Dora, qui était bonne comme le bon pain,

savait aussi être implacable. Elle retourna au *Drapeau de l'Ours*, et organisa les secours. Le cuisinier grec fit un chaudron de soupe épaisse, avec ordre de garder toujours la soupe bien chaude, bien épaisse, et le chaudron toujours rempli. Les filles s'efforcèrent d'assurer le travail à l'établissement, tout en allant soigner les gens à domicile, une équipe remplaçant l'autre, et les filles partant chargées de marmites de soupe. Chez Doc, les appels se multipliaient ; Dora le consultait aussi, et il examinait les filles qui présentaient des signes suspects. Et pendant tout ce temps, les affaires, au *Drapeau de l'Ours*, marchaient comme le tonnerre, le piano mécanique jouait sans répit, les hommes de la flotte sardinière et les soldats se mettaient en file d'attente, les filles répondaient aux clients, puis s'en allaient, portant leur marmite, soigner les Mac Carthys, les Ransel et les Ferria. Elles sortaient par la petite porte de derrière, et près des enfants endormis, il leur arrivait de s'assoupir sur leurs chaises. Même dans le travail, elles avaient renoncé au maquillage, ce n'était vraiment plus la peine. Dora elle-même déclarait qu'elle eût pu employer l'hospice des vieilles femmes tout entier. Les filles n'avaient jamais connu une telle période d'activité, au *Drapeau de l'Ours*. Elles se sentirent soulagées quand la période fut passée.

XVII

Au fond, en dépit de sa gentillesse, et bien qu'il eût beaucoup d'amis, Doc était un homme seul. Mack l'avait remarqué, sans doute, mieux que quiconque. Même au milieu d'un groupe, on le sentait parfaitement solitaire. Quand les lampes étaient allumées et les rideaux tirés, et que la musique grégorienne se répandait, Mack avait l'habitude d'observer le Laboratoire, de la fenêtre du Palace. Une femme était dans la maison, mais cette certitude accentuait chez Mack l'affreuse impression de solitude. Même dans le contact amoureux le plus étroit, Mack le devinait, Doc demeurait solitaire. Doc était un nocturne. Le Laboratoire était éclairé toute la nuit, et cependant Doc vaquait tout le jour à ses travaux. Jour et nuit, les hautes vagues de la musique entouraient le Laboratoire. Au plus noir des ténèbres, quand tout semblait enfin dormir, les voix endiamantées des enfants de la Chapelle Sixtine sortaient par les baies du Laboratoire...

Pris par les soins de sa cueillette, Doc ne manquait jamais une bonne marée, le long de la côte ; les rochers et les plages contenaient ses réserves ;

il savait très exactement où trouver ce qu'il lui fallait. Toute sa marchandise était éparpillée au long de la côte, ici les poulpes et là les vers, et là les pensées de mer. Il savait où les dénicher, sans être sûr de les trouver au moment où il le fallait. La nature ferme assez souvent ses magasins, et ne les ouvre qu'à l'occasion. Et Doc n'était pas seulement averti de l'heure et du lieu des marées, il savait également si la marée basse serait bonne, et en quel lieu. Lorsque la marée basse s'annonçait fructueuse, il rassemblait son outillage, emballait ses plats, ses jarres, ses bouteilles et ses ingrédients, et partait pour la plage ou le récif où se trouvaient stockés les animaux qu'il lui fallait.

Pour le moment, il devait assurer une livraison de petits poulpes, et l'endroit le plus proche où les trouver était une plage de galets où s'entrecroisaient les marées, à La Jolla, entre Los Angeles et San Diego. Cinq cents milles pour aller, autant pour revenir ; son arrivée devait coïncider avec le retrait de la mer.

Les petits poulpes vivent sur un lit de sable, au milieu de gros galets ronds. Jeunes et timides, ils affectent une prédilection pour les fonds présentant des crevasses et de petits abîmes où ils sont protégés des vagues et de l'ennemi toujours à l'affût. Leur logement, ils le partagent avec des millions de petits crabes ; en même temps qu'il prendrait les poulpes, pour la commande qu'il avait, Doc se proposait donc de renouveler son stock de petits crabes.

L'heure de la marée basse tombait un jeudi, à cinq heures dix-sept du matin. Doc quitta Monterey le mercredi matin, afin de pouvoir sans se presser, être là le jeudi pour la marée.

Il eût souhaité emmener quelqu'un, pour avoir de la compagnie. Mais personne n'était disponible. Mack et les gars ramassaient des grenouilles, dans la Vallée du Carmel, trois jeunes femmes qu'il connaissait, et dont il eût apprécié la société, ne pouvaient s'absenter au milieu de la semaine, à cause de leur travail. Henry-le-Peintre était également occupé, car les Grands Magasins Holman offraient au public une performance assez bizarre. Un mât avait été fixé, sur le toit des Grands Magasins, on y avait aménagé une petite plate-forme circulaire, autour de laquelle un homme tournait, monté sur patins à roulettes. Il y était déjà depuis trois jours et trois nuits, se proposant d'atteindre le record des patineurs sur plate-forme. Le record précédent s'élevait à 123 heures, l'homme avait donc du temps devant lui. Le spectacle exerçait une fascination sur Henry. Comme poste d'observation, il avait choisi le poste d'essence de Red Williams, de l'autre côté de la rue, et il se proposait d'écrire un essai, intitulé : « Substratum du rêve d'un patineur autour d'un mât. » Henry ne pouvait raisonnablement s'absenter tant que le patineur était là-haut, car la chose impliquait des problèmes de métaphysique que personne n'avait abordés. Il s'était assis sur une chaise, le dos appuyé contre la cloison qui s'ouvrait sur le lavabo des Messieurs ; comme il ne quittait pas la plate-forme des yeux, il ne pouvait de toute évidence accompagner Doc à La Jolla. Doc était donc parti tout seul : la marée ne pouvait pas attendre. Il avait fait ses bagages très tôt le matin, les affaires personnelles dans une mallette, les instruments et les seringues dans une autre. Les mallettes bouclées, il lissa soigneusement sa barbe brune, s'assura que ses crayons se trouvaient bien dans sa poche de chemise, sa loupe attachée à la chaîne. Les plateaux, les flacons, les plats de verre, les ingrédients, les bottes de caoutchouc allèrent rejoindre une couverture à l'arrière de la voiture, puis il se mit en devoir de laver la vaisselle de la veille, de jeter les ordures et de fermer les portes sans mettre le verrou : à neuf heures, il était en route.

Au fond, il voyageait toujours assez lentement : il conduisait à une allure modérée, et s'arrêtait très fréquemment pour manger un morceau. En passant sur une avenue, il fit un signe de bonjour à un chien qui lui répondit en souriant, et, avant de quitter Monterey, se sentant un peu affamé, il s'arrêta chez Herman pour prendre une saucisse et de la bière. Tandis qu'il mangeait son sandwich et sirotait sa bière, une réflexion de Blaisedall, le poète, lui revint à l'esprit : « Vous aimez tant la bière, que je vous parie qu'un de ces jours, vous demanderez qu'on vous prépare un mélange de lait et de bière. » Boutade, mais qui l'avait frappé. Quel goût cela pouvait-il avoir, la bière et le lait mélangés ? Il y pensait chaque fois qu'il avalait sa bière. Cela ferait-il tourner le lait ? Cela devait faire à peu près l'effet d'une glace aux crevettes... L'idée ne lui sortait pas de la tête. Il régla le garçon, en évitant de regarder les machines à faire mousser le lait qui s'alignaient, brillantes, contre le mur. Quand on veut commander un cocktail de bière et de lait, mieux vaut le faire dans une ville où personne ne vous connaît... Et si devant cette bizarrerie, le garçon appelait la police ? Un homme barbu est toujours plus ou moins suspect, il peut difficilement prétendre qu'il porte une barbe pour la raison que cela lui plaît, les gens ne supportent pas qu'on leur dise la vérité. Pourquoi une barbe? Il faudrait invoquer Dieu sait quelle cicatrice vous empêchant de vous raser...

Quand Doc était à l'Université de Chicago, il fut en même temps affligé par un chagrin d'amour et par le surmenage. Pour se remettre, il songea qu'un grand tour lui ferait du bien. Le sac au dos, il partit donc à pied pour l'Indiana, et, à travers le Kentucky, la Caroline du Nord, et la Georgie, atteignit la Floride. Il se mêlait aux montagnards et aux fermiers, aux vagabonds et aux pêcheurs. Et partout les gens lui demandaient pourquoi il voyageait ainsi.

Comme il aimait la vérité, il leur dit simplement la vérité : il était devenu nerveux et, de surcroît, il désirait voir du pays, aspirer l'odeur de la terre, contempler l'herbe, les arbres, les oiseaux, jouir des paysages, et pour cela, le meilleur moyen n'était-il pas de voyager à pied? Cette vérité ne lui attirait pas la sympathie des gens : ils fronçaient le sourcil, hochaient la tête ou se moquaient, comme s'il avait été un imposteur. Et certains même, craignant pour leurs filles ou leurs porcs, lui conseillaient de détaler et au plus vite, s'il tenait à sa peau.

Il prit une sage résolution : il cessa de dire la vérité. Il raconta qu'il accomplissait un pari qui lui ferait gagner cent dollars. Les gens le croyaient et lui montraient leur sympathie : on l'invitait à déjeuner, on lui offrait un lit, on le bourrait de provisions pour le lendemain et on lui souhaitait bonne chance. Si Doc persévérait dans son culte de la vérité, il savait bien que ce culte a peu de fidèles, et que la vérité peut être une dangereuse maîtresse.

Il ne s'arrêta pas à Salinas pour y prendre un sandwich. Mais à Gonzalès, à King City et à Paso Robles. Il prit des saucisses et de la bière à Santa Maria (et même, il s'arrêta deux fois à Santa Maria, car la route était longue, qui le séparait de Santa Barbara). A Santa Barbara, il se fit servir un potage, de la laitue, une salade de haricots verts, du bœuf bouilli, de la purée, une part de tarte à l'ananas, du fromage, du café, après quoi il fit le plein d'essence et se rendit aux lavabos, où il se lava la figure et lissa sa barbe. Autour de la voiture l'attendait un groupe de ces gens qui font de l'auto-stop.

« Vous allez vers le Sud, monsieur ? »

Doc était un vieil habitué de la route. Les inconnus qu'on prend à bord, il faut soigneusement les choisir. Le mieux est de prendre un habitué : celui-là se tait. Car ceux qui sont sans expérience s'efforcent de payer leur voyage en vous abreuvant de leurs discours. Quand vous avez choisi celui qui vous convient, prenez tout de même vos précautions en déclarant que vous n'allez pas loin. Si votre homme vous ennuie par trop, vous le laissez tomber. Sans compter que vous pouvez avoir de la chance, et rencontrer quelqu'un d'intéressant. Doc scruta rapidement les hommes et fit son choix : un bonhomme à visage maigre, habillé de bleu, quelque représentant, sans doute. Sa bouche était encadrée de rides profondes, ses yeux étaient tristes et noirs. Il considérait Doc avec une espèce de dégoût.

« Vous allez vers le Sud ?

— Oui, un petit bout de chemin.

— Ça ne vous ferait rien de m'emmener ?

— Montez ! fit Doc. »

Quand ils atteignirent Ventura, peu de temps

après le repas si copieux, Doc s'arrêta tout juste pour avaler un verre de bière. Son hôte n'avait pas soufflé mot. Doc s'était arrêté devant un petit buffet, installé au bord de la route.

« Un peu de bière ? demanda Doc.

— Non ! répliqua l'inconnu. Et j'ose même dire que c'est une idée saugrenue, que de conduire quand on est saoul. Si vous avez envie de vous tuer, ce n'est pas mon affaire, mais vous avez le volant en mains : c'est une arme dangereuse quand on est saoul.

Doc, tout d'abord, avait été interloqué.

— Descendez ! pria-t-il gentiment.

— Quoi ?

— Si vous voulez mon poing sur la figure... Je vous prie de descendre... Je compte jusqu'à dix. Un... deux... trois...

L'homme se précipita sur la poignée de la porte et descendit à toute vitesse. Mais à peine descendu, il se mit à hurler :

— Je vais appeler un agent !!! Je vous ferai arrêter ! »

Doc ouvrit sa boîte à outils et en sortit une clef anglaise. Son hôte vit le geste et prit ses jambes à son cou. Alors, furieux, Doc se rapprocha du petit bar. La serveuse, une beauté blonde qui portait un soupçon de goitre, décocha son plus beau sourire : « Qu'est-ce que ce sera ?

— Un cocktail au lait et à la bière !

— Comment ? »

Eh bien, tonnerre de Dieu, ça y était ! Au moins, il en serait débarrassé : « Vous plaisantez ? » sourit la blonde.

Allez donc expliquer, dire la vérité ! « Je souffre de la vessie, dit-il. La Bipalychactorsonectomy, disent les médecins. Il faut que je boive de la bière et du lait panachés. Ordre du docteur. » La blonde émit un sourire rassuré : « Et moi qui croyais que vous plaisantiez! Vous allez me dire comment ça se fait. Si j'avais su que vous étiez malade!

— Très malade et cela empire tous les jours. Mettez d'abord un peu de lait, ajoutez la moitié d'une bouteille de bière. L'autre moitié, vous me la mettrez dans un verre... non, pas de sucre. » Il goûta d'une lèvre timide. Mon Dieu, ce n'était pas si mauvais que ça. « Cela doit être affreux, dit la blonde.

— Il faut en avoir l'habitude, dit Doc. Moi qui en prends depuis dix-sept ans!... »

XVIII

Doc avait conduit lentement. L'après-midi était
si avancé, quand il atteignit Ventura, qu'il se con-
tenta d'un sandwich au fromage, au Carpenteria.
Et il faisait tout à fait nuit lorsqu'il fut à Los Angeles, où il avait bien l'intention de s'offrir un dîner
solide. Il s'arrêta donc à une grande Rôtisserie qu'il
connaissait, et se fit servir du poulet frit, une ma-
cédoine de légumes, des biscuits chauds arrosés de
miel, une part de tarte à l'ananas, et du fromage.
Et il demanda, en même temps, qu'on remplît son
thermos de café chaud, et qu'on lui préparât six
sandwiches au jambon, avec deux quarts de bière,
pour son petit déjeuner du lendemain.
C'était moins amusant de conduire de nuit. Pas
de chiens à saluer, rien que la chaussée avec ses
réverbères. Il appuya sur l'accélérateur ; il était
à peu près deux heures du matin, lorsqu'il entra
dans La Jolla. Il traversa la ville, et s'arrêta au bas
de la falaise où il tenait ses quartiers, d'ordinaire,
au moment des marées. Encore un sandwich, de
la bière : il éteignit ses phares et se pelotonna sur
son siège pour y dormir.
Pas besoin de réveille-matin. Il adhérait, en
quelque sorte, à la marée, et il la sentait refluer

jusque dans son sommeil. Il s'éveilla à l'aube :
à travers le pare-brise, il constata que la mer avait
déjà déserté les galets. Il prit quelques gorgées de
café chaud, trois sandwiches et un quart de bière.

Le mouvement d'une marée est peu sensible à
l'œil. Les galets se découvrent, comme s'ils se
dressaient ; en reculant, l'Océan laissait derrière lui
des flaques, des algues, de la mousse, des éponges,
des taches irisées, des bruns, des bleus, du vermil-
lon. Tout son rebut : coquillages vides, miettes de
squelettes, griffes, cimetière fantastique, au-dessus
duquel la vie se bouscule.

Il enfila ses bottes de caoutchouc et coiffa son
chapeau de pluie, sortit ses seaux et son crochet,
fourra les sandwiches dans une poche et son thermos dans l'autre : en route!

Il retournait les galets du bout de son crochet,
et, de temps en temps, il plongeait vivement sa
main dans la flaque et en retirait une petite pieuvre
qui rougissait en se débattant et crachant de
l'encre. Il l'envoyait rejoindre les autres dans un
seau rempli d'eau de mer, et dans sa rage, la nouvelle venue procédait à l'attaque de ses compagnes.

La pêche était bonne ce jour-là. Vingt-deux
petites pieuvres et quelques centaines de sea-
cradles qu'il déposa dans un seau de bois. Il suivait
la marée dans son flux, le soleil se levait, la plage
découverte s'agrandissait, une ligne de rochers
chevelus était sortie de l'eau. Il avait à présent ce
qu'il lui fallait. Des étoiles de mer rouge foncé
étaient comme encastrées dans les rochers que la
mer venait battre, en attendant de les submerger.
Soudain, entre deux rocs encombrés d'algues,
dans un éclair, Doc entrevit une tache blanche. Il
grimpa sur l'un des rochers, attentif à garder son
équilibre, se pencha, écarta les herbes ; tout son

corps se raidit : une figure de femme le regardait, une jolie figure de jeune fille, livide, entourée d'une chevelure noire. Les grands yeux clairs étaient ouverts, le visage était ferme, les cheveux ondoyaient gracieusement autour du front, on ne voyait pas le corps, caché sous la crevasse. Les lèvres étaient légèrement entrouvertes, laissant apercevoir les dents ; on lisait la béatitude sur ce visage que l'eau limpide rendait très beau. Doc dut le contempler longtemps, cette image se gravait en lui.

Il releva lentement la tête et laissa retomber les algues. Son cœur battait et sa gorge s'était serrée. Il ramassa son seau, ses jarres, son crochet, et regagna d'un pas rêveur le haut de la plage. Ce visage demeurait devant lui. Il s'assit sur le sable sec et enleva ses bottes. Dans l'une des jarres, les petites pieuvres s'étaient défaites les unes des autres. Une musique bourdonnait aux oreilles de Doc, comme le son perçant d'une flûte portant une mélodie insaisissable, coupée par le murmure des vagues et les sautes du vent. Et l'indicible mélodie s'élevait au-delà des sons, dans les régions que la musique elle-même ne peut atteindre. Doc frissonna, ses bras avaient la chair de poule, ses yeux se mouillèrent, comme les yeux se mouillent quand on touche le cœur de la magnificence. De clairs yeux gris, des cheveux noirs flottant, ondoyant au-dessus d'un front, l'image en demeurerait à jamais. Et la musique l'entourait, l'eau bouillonnait sur les galets, la terrifiante petite flûte chantait toujours, il battait la mesure avec sa main... Les yeux étaient d'un gris très clair, et la bouche entrouverte retenait un souffle d'extase...

Une voix le réveilla soudain. Un homme se tenait derrière lui : « Alors, on a fait bonne pêche ? Qu'est-ce que c'est que ça ?

— Des petites pieuvres!

— Ah! vous voulez dire des poissons-diables? Je savais pas qu'il y en avait, par ici? Et je suis d'ici, pourtant!

— Ils ne sont pas difficiles à trouver, répondit Doc d'un air distrait.

— Dites donc, ça ne va pas? Vous en avez, une tête... »

Le son de la flûte s'éleva de nouveau, suivi du chant des violoncelles; les vagues étaient à présent toutes proches. Doc s'ébroua, secouant cette figure, cette musique, et ce froid qui montait en lui:

— Il y a un poste de police, par ici?

— En ville, oui. Qu'est-ce qui ne va pas?

— Il y a un cadavre, sur le récif.

— Où ça?

— En face. Coincé entre deux rochers. Une jeune fille.

— Pas possible! fit l'homme. Vous allez toucher une prime. Je ne sais plus combien... »

Doc ramassa son équipement.

« Vous ne voudriez pas y aller à ma place? Faire le rapport? Je ne me sens pas très bien...

— Oui, ça vous a flanqué un coup! Il est... il est en mauvais état? Pourri? Mangé? »

Doc se retourna : « Vous toucherez la prime, je n'en veux pas. » Et il se dirigea vers la voiture. La flûte chantait toujours. Le son ressemblait à un fil.

XIX

Aucune publicité n'avait encore autant chanté la gloire des Grands Magasins Holman, que le patineur en haut de son mât. Les jours passaient, et il tournait, tournait toujours sur la petite plate-forme circulaire, dressant, la nuit, sa silhouette noire contre le ciel. Il était convenu qu'à la nuit, une barre d'acier apparaissait au milieu de la plate-forme, et qu'il pouvait s'y accrocher. Mais il ne s'asseyait pas pour autant, et les gens toléraient la barre d'acier. On venait le voir de partout. Il en venait de Jamesburg, de Salinas, et même de villes plus éloignées. La Coopérative Agricole de Salinas avait même lancé une offre pour la prochaine exhibition : le patineur battrait son record à Salinas, où il obtiendrait le prix mondial du patinage sur plate-forme. Car tous les ans, le même patineur battait son record.

Les propriétaires du Grand Magasin exultaient. Les expositions se succédaient : exposition de blanc, exposition d'ustensiles en aluminium, exposition de vaisselle, exposition de soldes. La foule stationnait dans la rue, la tête levée vers le solitaire de la plate-forme.

Quand il en fut à son second jour, il fit savoir

que quelqu'un s'amusait à tirer sur lui. La Direction se creusa la cervelle. On procéda à des calculs, et l'on finit par découvrir que c'était le vieux docteur Merrivale, qui, caché derrière son rideau, tirait avec un fusil Daisy, à air comprimé. On alla le trouver, et il promit de s'abstenir. Il occupait un rang élevé dans la Loge maçonnique.

Henry-le-Peintre demeurait vissé sur sa chaise, au poste d'essence de Red Williams. L'un après l'autre, il abordait tous les côtés philosophiques du problème et avait fini par conclure que pour trouver la solution, il allait se bâtir chez lui une petite plate-forme personnelle et se mettrait en piste. Il n'y avait personne en ville qui ne fût plus ou moins impressionné par le patineur. La recrudescence des affaires était sensible, dans le voisinage de Holman, mais plus on s'éloignait plus elles baissaient. Là où l'on ne voyait plus le patineur, le commerce était mort. Mack et les gars étaient allés le voir, comme tout le monde, mais, sitôt rentrés au Palace, ils avaient été unanimes à déclarer que tout cela n'avait aucun sens.

Dans une vitrine, aux Magasins Holman, on installa un lit de deux personnes. Dès que le patineur eut battu le record du monde, on le fit descendre, et on le fit dormir dans la vitrine, ses patins à roulettes aux pieds. La marque du matelas était inscrite sur une petite pancarte, au pied du lit.

Il n'était question, par la ville, que de cet événement sportif. Mais nul ne mentionnait ce qui cependant passionnait la ville, la question des questions, ce qui la hantait. Madame Trolat se la posait, cette question, tout en portant son sac rempli de haricots à écosser, au sortir de la boulangerie. Monsieur Hall, à la chemiserie, se posait la question. Les trois sœurs Willoughby se tortillaient, chaque fois qu'elles se la posaient. Mais nul n'avait le front de la poser ouvertement.

Richard Frost, un brillant jeune homme, en fut plus troublé que quiconque. Cela l'obsédait. La nuit du mercredi, il fut inquiet ; pendant toute la nuit du jeudi, il se sentit exaspéré ; le vendredi soir, il se saoula et se battit avec sa femme. Sa femme pleura, puis fit semblant de s'endormir. Elle l'entendit se glisser hors du lit et se diriger vers la cuisine. Il retournait à la bouteille. Elle l'entendit s'habiller tranquillement, ouvrir la porte de sortie, et la fermer. Elle se remit à pleurer un peu, il était affreusement tard, Madame Frost fut convaincue que son mari se rendait au *Drapeau de l'Ours*.

Richard descendait d'un pas ferme. Sur la Lighthouse Avenue, il tourna vers la gauche, et poursuivit sa route jusqu'aux Grands Magasins Holman. Le flacon était dans sa poche ; dès qu'il fut en vue des Grands Magasins, il avala une bonne gorgée. La lumière des réverbères avait été mise en veilleuse. Pas une âme. Richard se campa au milieu de la rue et leva la tête.

La silhouette du patineur se dessinait sur le ciel pâle. Il sortit son flacon, et but encore une gorgée. Et puis, mettant ses mains en porte-voix, il appela : « Hey ! » Pas de réponse. « Hey ! » cria-t-il plus fort, se retournant pour voir si un flic ne surgissait pas.

Du haut du ciel, une aigre réplique tomba :

« Qu'est-ce que vous voulez ? »

Richard remit ses mains en porte-voix : « Comment... Comment... allez-vous aux lavabos ? »

« J'ai une boîte à côté de moi ! » prononça la voix.

Richard se retourna et reprit le chemin qu'il

avait fait. Une fois chez lui, tandis qu'il se désha-
billait, il s'aperçut que sa femme était réveillée.
Quand elle dormait, elle lançait toujours de petites
bulles. Elle se poussa pour lui faire de la place.

« Il a une boîte à côté de lui! » articula Richard
en se couchant.

XX

Dans un ferraillement triomphal, le modèle **T** regagna sa place derrière l'épicerie de Lee Chong, parmi les herbes folles, au milieu de la matinée. Les gars bloquèrent les roues avant, soutirèrent le reste d'essence du réservoir, prirent les sacs de grenouilles, et rentrèrent au Palais des Coups. Pendant que les gars allumaient le feu, dans le grand fourneau, Mack faisait à Lee Chong une visite de cérémonie. Fort dignement, il lui offrit ses remerciements pour le prêt du camion, conta le succès du voyage, et les centaines de grenouilles qu'ils avaient capturées. Lee Chong arborait un sourire timide et attendait l'inévitable.

« On est plein aux as! roucoulait Mack modestement. Doc nous donne vingt-cinq cents par grenouille, et on en a attrapé un millier! »

C'était le tarif, tout le monde connaissait le tarif ; Lee hochait doucement la tête.

« Doc est parti. Ah! nom de Dieu, ce qu'y va êt' content, quand y verra toutes ces grenouilles! »

Lee n'ignorait aucunement que Doc était absent, et il ignorait moins encore où la conversation allait en venir.

« Ah! tiens, au fait, s'écria Mack, comme si

l'idée lui passait subitement par la tête, on est un petit peu à court, en ce moment...

— Pas de whisky! » coupa Lee Chong en souriant.

Mack se sentit outragé :

« Est-ce que je vous ai parlé de whisky ? Saperlotte, nous avons du whisky comme vous n'en avez jamais bu, un sacré petit tonneau de whisky comme vous n'en avez jamais vu ! Ça, par exemple ! Moi et les gars, on voulait justement vous demander de venir boire le coup chez nous. Les gars m'ont dit de vous le demander. »

Ce fut plus fort que lui, Lee s'épanouit de plaisir. Il fallait bien qu'ils l'aient, le whisky, puisqu'ils l'invitaient à le boire !

« Et pis non, fit Mack résolu. Moi, je montre mon jeu. On est un peu gênés, moi et les gars, et on a faim. Vous connaissez le prix des grenouilles : vingt grenouilles, un dollar. Doc n'est pas là, et on a faim. Voilà ce qu'on s'est dit. On veut rien vous faire perdre, on vous donnera vingt-cinq grenouilles pour un dollar. Pour vous, c'est cinq grenouilles de bénéfice, comme ça personne n'y perd. »

— Non, articula Lee. Pas d'argent.

— Sacré nom de Dieu, Lee, on veut pas autre chose qu'un peu de boustifaille ! Écoutez-moi, je vais vous dire. On veut donner une petite fête à Doc quand y sera de retour. On a toute la boisson qu'y faut, mais ce qu'y nous faudrait, c'est par exemple des biftecks, des trucs comme ça. C'est un tellement chic type. Dites donc, quand votre femme a eu mal aux dents qui est-ce qui lui a donné du laudanum ? »

Mack l'avait eu. Lee avait des dettes envers Doc, et de très grandes dettes. Mais ce qu'il n'arrivait pas à saisir, c'était le rapport qu'il y avait entre ces dettes et le crédit que Mack sollicitait.

Celui-ci poursuivait : « Pour chaque dollar de marchandises que vous nous donneriez, on vous remettrait vingt-cinq grenouilles entre les mains, et vous pourriez venir à la fête... »

Lee flaira l'offre comme une souris flaire le fromage dans un buffet. Après tout, l'offre était convenable. Du moment que Doc était en cause, les grenouilles représentaient de l'argent comptant, et il faisait double profit. Un bénéfice de cinq grenouilles et le profit sur la marchandise. Restait seulement à savoir s'ils avaient vraiment les grenouilles.

« Allons voir les grenouilles », décida Lee.

On lui fit boire un coup de whisky devant la porte du Palace, il inspecta les sacs remplis de grenouilles : ils topèrent là. Mais il stipula nettement qu'il n'accepterait pas de grenouilles mortes. Mack lui compta cinquante grenouilles dans une boîte vide, retourna avec lui à l'épicerie et se fit remettre pour deux dollars de pain, de bacon et d'œufs.

Prévoyant une affaire brillante, Lee sortit une vaste caisse d'emballage, et la plaça dans le rayon des légumes ; il y mit les grenouilles qu'il recouvrit d'un sac mouillé pour leur donner quelque bien-être.

L'affaire, en effet, était bonne. Eddie fit irruption et acheta pour deux grenouilles de tabac. Ce fut ensuite le tour de Jones, qui fulmina quand il apprit que le prix de la coca-cola montait de une grenouille à deux grenouilles. Au fur et à mesure que le jour s'écoulait, les prix montaient. Ainsi le bifteck, par exemple. Le bifteck le plus tendre n'aurait pas dû coûter plus de dix grenouilles la livre, eh bien, Lee le fixa à douze grenouilles et demie! Pour les pêches en boîte le prix devenait astronomique : huit grenouilles pour une boîte n° 2! Lee étranglait le consommateur. Le Marché des Changes, il le savait, n'aurait guère apprécié ce nouveau système monétaire. Mais si les gars désiraient du bifteck, eh bien, ils devaient en passer par les prix de Lee. La température s'éleva lorsque Hazel, qui convoitait depuis longtemps un brassard de soie jaune, refusa de le payer trente-cinq grenouilles et qu'il s'entendit dire qu'il n'avait, qu'à aller ailleurs! L'amertume et le ressentiment montaient de part et d'autre. Et le tas des grenouilles montait au même rythme dans la caisse à claire-voie.

Mais l'amertume financière ne mordait pas profondément dans le cœur de Mack et des gars, ils n'avaient pas le cœur mercantile. Leurs amours et leurs joies n'avaient pas une valeur chiffrée. S'ils étaient un peu irrités, ils n'en avaient pas moins dans le ventre pour deux dollars d'œufs et de bacon, qui reposaient sur un lit de whisky et que recouvrait une bonne petite couche de whisky. Ils étaient installés dans des fauteuils à eux, dans une maison à eux, s'amusant à regarder Darling lapant son lait dans une vieille boîte de sardines. Il était écrit que Darling serait heureuse parmi eux, car chacun possédait une théorie sur la façon de dresser les chiens, et comme les théories ne s'accordaient pas, on négligeait de dresser Darling. C'était une petite chienne précoce, toujours affalée sur le lit de celui qui lui avait donné la dernière miette. Ils avaient quelquefois volé pour elle. Ils étaient tous amoureux d'elle, les petites saletés qu'elle parsemait sur le plancher, ils les trouvaient charmantes, c'était à qui, devant les amis, chanterait ses louanges : ils l'auraient tuée de nourriture si elle n'avait été plus sage qu'eux tous.

Jones lui avait bien fait un lit à l'intérieur de la pendule, mais elle le dédaignait, préférant dormir avec l'un, avec l'autre, au seul gré de sa fantaisie. Elle mâchonnait les couvertures, déchirait les matelas, faisait s'envoler les plumes des oreillers, faisait la coquette, suscitait des rivalités : c'était la merveille des merveilles.

Et l'après-midi s'écoula dans la béatitude : fumer, digérer, bavarder, boire un tout petit coup de temps en temps. A chaque coup, ils se répétaient qu'il fallait en boire très peu, que le whisky était pour Doc, gare à celui qui l'oublierait une seule minute!

« A quelle heure croyez-vous qu'il va rentrer? demanda Eddie.

— Entre huit et neuf heures, comme d'habitude, répondit Mack. Mais va falloir se décider ; quand c'est y qu'on lui donne? Je me demande si ça pourrait pas être pour ce soir...

— Pour sûr! s'exclamèrent-ils tous en chœur.

— Ce soir, y sera peut-êt' très fatigué, observa Hazel. Il a un sacré bout de chemin à faire...

— Oh! la barbe! fit Jones. Y a rien qui vous repose comme une bonne petite bringue. Moi, des fois, j'ai été claqué à en avoir mon pantalon sur les talons, eh ben, je sortais, je faisais la bringue, et je sentais plus la fatigue...

— Faut bien réfléchir, dit Mack. Où c'est-y qu'on la fait? Ici?

— Oui! Seulement, Doc, sans sa musique!... Chaque fois qu'y reçoit, y fait marcher son phonographe. Ça lui ferait peut-êt' plus plaisir si tout ça se passait chez lui?

135

— C'est pas si bête, approuva Mack. Seulement, y faudrait que ce soit comme une surprise-partie. Et comme c'est nous qui l'invitons, on peut tout de même pas se contenter d'apporter un pichet de whisky!

— Et qu'est-ce que vous verriez, comme décoration! hasarda Hughie... Moi je vois quelque chose comme la fête du Quatre Juillet... »

Le regard de Mack erra un instant dans l'espace, ses lèvres s'entrouvrirent. Il voyait la fête devant lui : « Hughie, mon vieux, t'es épatant! Les gars, j'aurais jamais cru ça de vous, pour êt' des as, vous êt' des as! » Sa voix fondait : « Moi je vois ça comme si j'y étais. Doc rentre à la maison. Il est claqué. Il fait arrêter sa bagnole. Toutes les lumières sont allumées dans la maison. Ça lui flanque un coup. Il grimpe les escaliers, et nom de Dieu, il trouve des guirlandes partout! Des guirlandes en papier gaufré, et des rubans qui pendent, et pis, un gâteau grand comme ça. Il pige tout de suite que c'est une fête. Et pas de la petite bière! Nous, on s'est cachés quelque part, y se demande qui c'est qu'a fait ça. On sort, on se met à crier! Non, vous voyez d'ici sa tête? Sacré nom de Dieu, Hughie, je sais pas comment que t'as pu penser à ça! »

Hughie rougit. Dans son idée, c'était tout de même plus modeste, ça ressemblait au jour de l'an à *La Ida;* mais puisqu'il en était ainsi, il en acceptait volontiers le bénéfice du génie : « Oui, je me disais que ça serait gentil...

— Ah! tu parles, si ça sera gentil! s'exclama Mack. Et quand Doc, il sera revenu de son épatement, je te jure bien que je me gênerai pas pour lui dire qui c'est qui a pensé à ça! » Ils se

calèrent dans leurs fauteuils, en caressant l'idée
de la fête. Dans leur esprit, le Laboratoire enguir-
landé surpassait en beauté la Salle des Concerts
de l'Hôtel del Monte. Ils burent encore quelques
petits coups, histoire de savourer le projet.

Le magasin de Lee Chong n'était vraiment
pas ordinaire. Ainsi par exemple, dans la plupart des magasins, au mois d'octobre, on trouve
du papier gaufré jaune ou noir, des masques et
des coiffures de papier, des guirlandes et des
lampions. On en peut trouver à foison, mais
quand les fêtes sont passées, tout cela disparaît
comme par enchantement. C'est comme pour
le Quatre Juillet. A ce moment-là, drapeaux
et cerfs-volants se vendent dans toutes les bou-
tiques. Et puis, cela s'envole mystérieusement,
nul ne sait dans quelle direction.

Telle n'était pas la méthode de Lee. A toute
époque de l'année, vous trouviez chez lui des
petits cerisiers de papier, des fusées, des pétards,
des mirlitons et du papier gaufré. Il gardait un
stock de pétards depuis 1920. Où entreposait-il
son stock ? Mystère. Il avait des costumes de
bain qui dataient de l'époque où l'on se baignait
en jupe et en bas noirs, il avait des souvenirs
de l'Exposition Internationale de Panama de
1915. Un autre trait, qui ne fait certes pas partie
de l'orthodoxie commerciale : il ne soldait jamais
aucun objet, ne réduisait jamais ses prix ; un
article marqué trente cents en 1912, restait éternellement à trente cents, fût-il dévoré par les
mites, couvert de salissures de mouches. Pour
qui voulait décorer un Laboratoire sans s'occuper
de la maison, y donner une Saturnale ou une
Parade des Nations, il était sûr de trouver son
affaire dans la boutique de Lee Chong.

Mack et les gars ne l'ignoraient pas. « Où c'est-y qu'on pourrait bien trouver un gâteau monstre ? demanda Mack. Lee Chong ne vend que des gâteaux de boulanger...

Hughie voulut exploiter son succès : « Et pourquoi Eddie ne nous ferait-il pas un gâteau ? Il a été cuisinier au San Carlos, pendant un temps... »

L'enthousiasme qui s'ensuivit fit totalement oublier à Eddie qu'il n'avait jamais fait de gâteau.

« On peut dire que ça toucherait Doc, appuya Mack, qui tenait à placer les choses sur la base sentimentale. Ce serait pas comme ces cochonneries de gâteaux qu'on achète. Y aurait du cœur, dans le gâteau ! »

Plus le temps — et le whisky — s'écoulaient, plus haut l'enthousiasme montait. La navette ne cessait pas, entre le Palace et l'épicerie. Un des sacs de grenouilles était vidé, la caisse à claire-voie de Lee Chong était maintenant pleine jusqu'au faîte. Lorsque sonnèrent six heures du soir, ils avaient bu le bidon de whisky jusqu'à la dernière goutte, ils en étaient à des demi-pintes d'*Old Tennis Shoes* qu'ils payaient quinze grenouilles la pièce, et les guirlandes de papier s'amoncelaient sur le plancher, parmi les kilomètres de papier gaufré.

Eddie surveillait le fourneau comme une mère-poule ses poussins. Il y faisait cuire son gâteau dans la bassine à vaisselle. La recette était garantie par le fabricant de levure. Mais le gâteau, dès le commencement, s'était étrangement comporté. Quand la pâte avait été faite, il s'était distordu, avait lancé des bulles, comme si de petits animaux s'étaient mis à grouiller à l'intérieur. Une fois dans le four, il fit entendre un bouillonne-

ment, se gonfla tel un ballon de base-ball, puis
se dégonfla sur un long sifflement, laissant en
son centre un cratère qu'Eddie s'empressa de
remplir avec de grandes louches de pâte fraîche.
De plus en plus, il devenait inquiétant, car tandis
que le fond se carbonisait en laissant échapper
une épaisse fumée noirâtre, le dessus demeurait
gluant et ne cessait pas de bouillir.

Lorsque, à la fin, Eddie le retira du four, on
aurait dit un champ de bataille sur un lit de
cendres.

Le gâteau, d'ailleurs, n'eut pas de chance, car
pendant que les gars étaient partis décorer le
Laboratoire, Darling en mangea tout ce qu'elle
put, rendit dans la bassine tout ce qu'elle put,
puis, finalement, se coucha dans la pâte chaude,
et s'y endormit.

Mack et les gars étaient partis chargés de
papier gaufré, de masques, de cannes de papiers,
de mirlitons, de marionnettes, de banderoles
bleues, blanches et rouges. Ils avaient disposé
des dernières grenouilles pour un quart d'*Old
Tennis Shoes* et deux bidons de vin à 49 cents.

« Doc adore le vin, avait dit Mack, je crois
même qu'il aime encore mieux le vin que le
whisky. »

Doc ne fermait jamais à clef le Laboratoire.
Il professait que les gens qui ont envie de cam-
brioler peuvent le faire facilement, qu'au fond,
la majorité est honnête, et qu'il n'y avait chez
lui rien qu'on pût prendre. Les seuls objets de
valeur étaient des livres, des instruments d'op-
tique ou de chirurgie, des disques, toutes choses
peu faites pour tenter un cambrioleur. La théorie
s'était avérée juste en ce qui concernait cambrio-
leurs et vagabonds, mais complètement fausse

en ce qui concernait les amis. On « empruntait » ses livres, et nulle bouteille de bière ne résistait à son absence ; maintes fois, lorsqu'il rentrait tard, il trouvait des hôtes dans son lit.

Les gars avaient amoncelé dans l'antichambre l'attirail de décoration, mais Mack les arrêta :

« Qu'est-ce qui fera le plus plaisir à Doc ?

— La fête! s'exclama Hazel.

— Non! lui répondit Mack.

— La décoration? hasarda Hughie. »

Il était responsable de l'idée de la décoration.

« Non! brailla Mack. Les grenouilles! C'est ça qui doit lui faire le plus plaisir. Seulement, quand il rentrera, la boutique de Lee sera peut-êt' bien fermée et y ne pourra même pas voir ses grenouilles avant demain matin. Non, monsieur, reprit-il sur un ton encore plus élevé, il faut qu'il trouve ses grenouilles, ici même, au milieu de la pièce, avec une pancarte par-dessus, où on aura écrit :

Que Doc soit le bienvenu chez lui! »

La délégation qui se rendit chez Lee se heurta à une ferme opposition. Une foule de possibilités se dressaient d'elles-mêmes dans sa méfiante cervelle. Il lui fut expliqué que puisqu'il assistait à la fête, il pourrait surveiller son bien lui-même, que personne ne prétendait que les grenouilles n'étaient pas à lui ; pour éviter toute discussion, Mack lui fit un papier spécifiant bien que les grenouilles étaient à lui, et bien à lui.

Dès que sa protestation faiblit, les gars s'emparèrent de la caisse à claire-voie, la portèrent au laboratoire, la recouvrirent de banderoles bleues, rouges et blanches, fabriquèrent une pancarte énorme en traçant les lettres à la teinture d'iode, et disposèrent leurs ornements sur les murs. Ils avaient lampé le whisky jusqu'à la dernière goutte et se sentaient le cœur en fête. Les bandes de papier gaufré s'entrecroisaient, et çà et là, ils y attachaient les petites poupées de papier. Des passants entrèrent, se joignirent à la fête, et coururent chez Lee chercher un peu à boire. Lee Chong lui-même s'était mis de la partie, mais il avait décidément très mauvais estomac : il fut rapidement obligé de retourner chez lui. A onze heures, ils mirent les biftecks à la poêle et les mangèrent. Quelqu'un, en fouillant dans les disques, sortit un album d'opérettes, et le grand phonographe se mit à mugir. On l'entendait depuis le chantier de bateaux jusqu'à *La Ida.* Un groupe de clients du *Drapeau de l'Ours,* prenant le Laboratoire pour un établissement rival, fit invasion, en poussant des clameurs de joie. Ils furent repoussés, mais dans une sanglante bataille, une interminable, une folâtre bataille qui laissa deux carreaux cassés, et abattit la porte d'entrée. Le bruit des bonbonnes cassées était très désagréable à entendre. Comme il traversait la cuisine afin de se rendre au lavabo, Hazel se renversa sur les pieds la poêle remplie de graisse bouillante, et il fut sérieusement brûlé.

A une heure et demie du matin, on vit entrer un ivrogne attardé, il fit une réflexion qu'on estima insultante pour Doc : Mack lui assena un direct dont on se souvient, dont on parle encore. L'homme décrivit un arc de cercle et s'écroula sur la caisse à claire-voie, en plein dans les grenouilles. Un assistant, changeant un disque, avait cassé le phonographe.

On n'a pas encore étudié la psychologie d'une fête qui s'achève. Elle peut faire rage, elle peut monter au paroxysme, il arrive un moment où s'insinue un petit silence... alors, vite, très vite, la fête se dégonfle, s'efface, s'évapore, les invités s'en vont, quittant un corps à l'agonie, qui déjà devient un cadavre.

Les lumières brillaient comme des astres, dans le Laboratoire. La porte d'entrée ne tenait plus que par un gond, une litière de verre cassé jonchait le plancher, des fragments de disques étaient éparpillés partout, des assiettes chargées de graisse coagulée et de morceaux de viande, restaient à terre, il y en avait aussi sous le lit et sur les étagères, les verres vides étaient renversés ; un invité, qui avait essayé d'escalader les étagères, en avait fait tomber toute une rangée de livres qui s'étaient mêlés au chaos, le dos déchiré. Et le Laboratoire était vide, et tout était fini.

Une grenouille sortit de la caisse à claire-voie, elle s'assit sur son derrière, renifla l'air ; une autre déjà, l'avait jointe. Elles aspirèrent le délicieux air froid qui venait par la porte ouverte et les carreaux cassés. L'une d'elles vint se poser sur la pancarte qui disait : « *Que Doc soit le bienvenu chez lui !* », puis, de conserve, elles avancèrent timidement vers la porte.

Pendant une heure ou deux, un ruisseau de grenouilles sauta sur les marches de l'escalier, ruisseau capricieux et mouvant. Pendant une heure ou deux, la Rue de la Sardine fut garnie d'un tapis de grenouilles. Un taxi, qui amenait un client tardif au *Drapeau de l'Ours*, écrasa cinq grenouilles. Mais avant l'aube, elles avaient disparu. Certaines avaient trouvé la source, d'autres le réservoir de la colline, quelques-unes se cachèrent dans l'herbe folle du terrain vague.

Dans le Laboratoire calme et désert, les lumières brûlaient toujours.

XXI

Au Laboratoire, dans l'arrière-salle, les rats blancs s'ébattaient en poussant de petits cris aigus. Au coin d'une cage, une maman-rat, couchée sur une litière de ratons aveugles et nus, les allaitait, guettant les alentours d'un air féroce.

Dans la cage aux crotales, les serpents étaient au repos, le menton posé sur leurs anneaux, leurs méchants yeux noirs sans regard dardés droit devant eux. Un monstre de Gila, la peau enroulée comme un sac, se frottait paresseusement et lourdement contre les barreaux. Les anémones de l'aquarium s'épanouissaient, offrant leurs tentacules pourpres et vertes, et leurs estomacs d'un vert pâle. La petite pompe à eau de mer tremblait doucement, et les fils d'eau amenaient des bulles à la surface des réservoirs.

C'était l'heure emperlée. Lee Chong déposait ses poubelles sur le trottoir, le costaud du *Drapeau de l'Ours* se tenait sous le porche, se grattant le ventre. Sam Malloy sortit en rampant hors de la chaudière, s'assit sur son billot de bois, et contempla l'est empourpré. Du côté de la Station Hopkins, les lions marins lançaient leurs monotones aboiements. Le vieux Chinois sortit de la mer, portant son cabas trempé d'eau, et faisant claquer sa semelle.

Juste à ce moment, une voiture tourna dans la rue et stoppa devant le Laboratoire : c'était Doc qui rentrait. Ses yeux étaient rougis de fatigue, ses mouvements étaient lents et las. Pendant quelques instants, il resta sur son siège, comme pour laisser se taire en lui toutes les vibrations de la route, puis il sortit de la voiture. En entendant son pas, dans l'escalier, les serpents à sonnettes se mirent à écouter du bout de leur langue frémissante et fourchue, les rats, de plus belle, tourbillonnèrent dans leur cage.

Doc monta l'escalier. Quoi : cette porte pendante, cette fenêtre aux carreaux cassés ? Sa fatigue brusquement le quittait. D'un bond, il franchit le seuil de la pièce, et fit rapidement le tour des chambres, en écrasant du verre pilé ; de temps en temps, il se baissait pour ramasser un fragment de disque et chercher s'il restait un titre...

La graisse renversée faisait des flaques blanches, sur le carreau de la cuisine. Les yeux de Doc flamboyaient de colère. Il se jeta sur un divan, le corps secoué d'une espèce de tremblement, et puis il sauta sur ses pieds et se tourna vers le phonographe. Il mit un disque, abaissa le bras : un grondement mêlé de sifflements fut la réponse. Il releva le bras, arrêta le plateau tournant, et se rassit sur le divan.

Dans l'escalier, on entendait un pas incertain et timide : Mack se trouvait déjà dans l'embrasure de la porte. Sa figure était cramoisie. Mal à son aise, il se tint au milieu de la pièce. « Doc, dit-il, moi et les gars... »

Doc, jusqu'alors, ne semblait pas s'être aperçu de sa présence. Il se releva. Mack eut un recul. « C'est vous qui avez fait tout ça?

— Voilà... moi et les gars... »

Le petit poing dur de Doc s'abattit sur la bouche de Mack. Une colère rouge, une fureur animale flamboyait dans ses yeux. Mack s'effondra à terre, lourdement. Le poing de Doc était précis et dur, les lèvres de Mack étaient rentrées dans sa mâchoire, une dent du devant était brisée. « Relevez-vous! » cria Doc.

Mack se releva en chancelant, les bras ballants. Doc fit encore aller son poing : un bon swing froid, bien calculé, en pleine bouche. Le sang jaillit des lèvres et descendit sur le menton. Il essayait de lécher ses lèvres.

« Allez! sortez vos poings! Allez-y! espèce de salaud! » répétait Doc, et il se remit à frapper dans un bruit de mâchoire brisée.

La tête de Mack ballottait, ses bras ballaient, mais il était coincé au mur et il ne pouvait pas tomber : « Allez-y, Doc! murmura-t-il, d'une voix épaisse : je l'ai pas volé... »

Les épaules de Doc s'affaissèrent dans un sentiment de défaite. « Espèce de salaud! répéta Doc amèrement, sacré cochon de fils de putain! » Il se rassit, regardant ses poings, contemplant ses jointures à vif.

Mack s'était assis sur une chaise et le regardait d'un œil agrandi, désolé. Il ne tentait pas même d'essuyer le sang qui lui coulait sur le menton. Dans la tête de Doc, l'ouverture plaintive de Monteverdi, *Hor ch' e el Ciel e la Terra*, clamait le deuil infini de Pétrarque pleurant Laure. Il entrevit la bouche ensanglantée de Mack à travers la musique. Mack restait impavide, comme

146

s'il écoutait la musique. Doc jeta un regard vers le phonographe et l'album de Monteverdi, et se rappela que le phonographe était cassé.

« Allez vous laver la figure! » ordonna-t-il en se relevant, puis il quitta la pièce, descendit l'escalier, et se rendit chez Lee. En sortant les deux quarts de bière du frigidaire, Lee n'osait pas lever les yeux sur lui, il encaissa l'argent sans souffler mot, puis regarda Doc traverser la rue.

Quand Doc revint, Mack se trouvait dans le lavabo, essuyant sa figure ensanglantée avec une serviette de papier. Doc ouvrit un flacon de bière, en versa le contenu dans un verre, remplit un second verre d'un geste doux et entra dans la pièce du devant en portant les deux verres. Mack le suivait en clopinant, et s'essuyant toujours la bouche. D'un mouvement de tête, Doc désigna les verres de bière. Mack renversa la tête et se versa la moitié du verre au fond de la gorge sans avaler, il fit un soupir explosif et se plongea le nez dans le verre. Doc avait déjà fini le sien, il reprit la bouteille, remplit de nouveau les deux verres, puis se rassit sur le divan.

« Voyons, qu'est-ce qui est arrivé? »

Mack fixait le parquet ; une goutte de sang tomba de ses lèvres dans le verre : — Moi et les gars, on voulait vous offrir une fête. On avait pensé que vous rentreriez hier au soir...

Doc hocha la tête : « Ha! Ha! Je vois...

— On n'a pas pu garder le contrôle, poursuivit Mack. Je regrette... Oh! je sais que ça n'avance à rien. Je regretterai ça toute ma vie. Pis d'abord, c'est pas d'aujourd'hui, ça a toujours été comme ça. (Il avala une grande gorgée.) J'ai été marié, c'était kif-kif. Tout ce que j'ai fait a mal tourné. Et à la fin, elle a pas pu le supporter. Je faisais une chose, et aussitôt ça tournait mal ; quand je lui faisais un cadeau, y avait toujours qué' qu'chose qu'y n'allait pas. Je lui faisais tout le temps du mal. Ben, elle en a eu marre. Ça a été kif-kif partout, alors, j'ai décidé de faire l'idiot. Je sais pus faire que ça. Je pense pus qu'à faire rigoler les gars. »

Doc hocha la tête encore une fois. Une fois de plus, la musique s'élevait dans son esprit, plainte et résignation mêlées. « Je sais », dit-il.

« Quand vous m'avez tapé dessus, ça m'a fait plaisir. Je me suis dit : au moins, ça t'apprendra, tu te souviendras. Au diable. Je me souviens jamais de rien, Doc, j'apprendrai jamais rien. » Les larmes coulaient le long de ses joues. « Dans mon idée c'était comme ça ; on était tous contents, on s'amusait. Et à vous, ça vous faisait plaisir puisque la fête était pour vous. Quoi, on était contents. Dans mon idée, c'était vraiment une belle fête. » Il fit un geste de la main vers le parquet : « Tant que j'ai été marié, c'était pareil. Je pensais à elle, y a pas à dire — et pis — enfin, ça tournait tout le temps comme ça...

— Je sais », répéta Doc.

Il déboucha la seconde bouteille et remplit les verres jusqu'au bord.

« Doc... moi et les gars, on nettoiera. On paiera tout ce qu'on a cassé. Même s'y faut travailler cinq ans, on paiera tout... »

Lentement, Doc secoua la tête, et essuya la mousse qui restait après sa moustache. « Non, non. Je nettoierai moi-même ; moi seul sais où ranger les choses.

— Mais alors, Doc, on paiera tout!

— Vous savez bien que non, Mack. Vous y penserez, cela vous tourmentera quelque temps, mais vous ne paierez rien du tout. Rien que dans les vitrines, il y en a peut-être pour trois cents dollars, ne dites donc pas que vous paierez, ce ne sera pour vous qu'un malaise. Qui durera peut-être deux ou trois ans, et puis après, vous oublierez. Et de toute façon, vous savez bien que je ne vous ferais rien payer...

— Je crois que vous avez raison. Je sais bien, sacré nom de Dieu, que vous avez raison. Alors, qu'est-ce qu'on peut faire ?

— Pour moi, ça y est, c'est passé, dit Doc. Les coups, ç'a été plus fort que moi... les nerfs. Oublions cela... »

Mack avala le reste du verre et se leva : « A bientôt, Doc ?

— A bientôt... Dites, Mack, qu'est-ce qu'elle est devenue, votre femme ?

— J'en sais rien, dit Mack, Elle est partie. » Penaud, il descendit les escaliers et rentra au Palace. Doc le regardait par la fenêtre. Puis, il prit un balai accroché derrière le chauffe-eau. Il lui fallut toute la journée pour nettoyer et sortir du chaos.

XXII

Henry-le-peintre n'était pas français et ne s'appelait pas Henry. Et ce n'était pas un vrai peintre. Il avait tant conté d'histoires sur la Rive Gauche, à Paris, qu'il avait fini par y croire, bien qu'il n'y eût jamais été. Il suivait fiévreusement dans les revues le mouvement dadaïste, les schismes, les jalousies étrangement féminines et religieuses et les obscurantismes des écoles qui se faisaient et se défaisaient. Périodiquement, il se rebellait contre les formes et les techniques révolues. Pendant toute une saison, il jeta les lois de la perspective par-dessus bord. Une autre année, il renonça au rouge, et finalement il renonça à la peinture. Qu'Henry ait été ou non un bon peintre, la question n'a jamais été tirée au clair : il se jetait si frénétiquement dans des mouvements de toute nature qu'il n'avait guère le temps de peindre.

Encore cette question de son talent souffret-elle la controverse, bien qu'il soit difficile de juger de sa production d'après ce qu'il a exécuté avec les plumes colorées des poulets et les coquilles de noix. Mais il se montrait hors de pair en tant que constructeur de bateaux. C'était un artisan inégalable. Des années durant, il avait vécu sous une tente, et il n'avait emménagé dans son bateau que le jour où la cabine avait été construite. Dès qu'il s'était trouvé au sec, il avait pris son temps avec le reste du bateau. Ce bateau, d'ailleurs, était plutôt sculpté que construit. Il mesurait trente-cinq pieds de long ; ses lignes changeaient perpétuellement. Tantôt, il tournait à la caravelle, tantôt au destroyer et tantôt au cargo. Henry étant toujours à court d'argent, il lui fallait parfois des mois pour se procurer un parquet ou une douzaine de boulons de cuivre. Mais cet état de choses lui convenait, car il tenait essentiellement à ce que le bateau ne fût jamais fini.

Le bateau reposait sous les pins, sur un terrain qu'il louait pour cinq dollars par an. Cela payait tout au moins les impôts : le propriétaire n'en demandait pas plus. Sous la quille, la fondation était en ciment ; une échelle de corde pendait contre un flanc du bateau lorsque Henry se trouvait chez lui. Sa cabine, petite, offrait, sur trois côtés, une banquette capitonnée : il y dormait, les invités s'y asseyaient. Une table pliante s'ouvrait quand c'était nécessaire ; une lampe de cuivre était suspendue au plafond. Sous le rapport de l'encombrement, son navire était une merveille, et chaque détail était le fruit de mois de labeur et de réflexion.

L'homme était d'humeur sombre. Il était affublé d'un grand béret, bien après que la mode en fût passée, gardait le cheveu long et mal peigné et fumait un long calumet. Ses amis étaient innombrables, il les classait en deux catégories : ceux qui pouvaient le nourrir et ceux qu'il avait à nourrir. Il n'avait pas donné de nom à son bateau et disait volontiers qu'il le baptiserait quand il serait fini.

Il travaillait à son bateau — et y vivait — depuis dix ans. Pendant cette période, il avait été marié deux fois, et avait eu un certain nombre de liaisons ; toutes les jeunes femmes l'avaient quitté pour la même raison : la cabine était trop petite pour deux. Elles étaient lasses de se cogner la tête chaque fois qu'elles se levaient et, à la fin des fins, il n'était guère supportable de se passer de lavabos. Les lavabos marins fonctionnent assez difficilement sur les bateaux amarrés à terre, et Henry ne condescendait pas à se servir d'un lavabo de terrien. Henry et ses amis s'en allaient sous les pins, quand la nature l'exigeait, mais ses amantes le quittaient.

Quand la jeune femme qu'il avait baptisée Alice l'eut quitté, une curieuse chose lui arriva. D'habitude, il prenait les choses tristement, pour un certain temps tout au moins, mais il éprouva cette fois-ci un sentiment de soulagement. Il pouvait s'étendre à son aise dans l'étroite cabine, manger ce qu'il voulait, surtout, être débarrassé des fonctions biologiques qu'implique la condition féminine.

Il avait aussi l'habitude, dès qu'une femme l'abandonnait, de s'acheter une bonbonne de vin, de s'étendre sur la banquette et de se saouler. Parfois, il lui arrivait de pleurer ; en vérité, c'était du luxe : les larmes lui donnaient un sentiment de bien-être merveilleux. Avec un accent déplorable, il se lisait Rimbaud à haute voix, en se congratulant intérieurement de la fluidité de son langage.

Ce fut pendant le deuil rituel qui suivit le départ d'Alice que la chose curieuse lui arriva. Il faisait nuit, et la lampe était allumée, à peine commençait-il à se sentir ivre, lorsque soudain, il eut le sentiment de n'être pas seul. Il jeta un coup d'œil prudent autour de lui... dans la cabine : en face de lui, sur la banquette, un jeune homme diabolique, un beau jeune homme brun se tenait assis. Ses yeux brillaient d'intelligence et d'énergie, et ses dents lançaient des éclairs. Il y avait quelque chose de touchant et de terrible cependant, sur cette figure. A côté de lui, un petit garçon aux cheveux d'or, à peine un peu plus qu'un bébé, se trouvait également assis. L'homme penché regardait l'enfant, et l'enfant lui rendait son regard avec un délicieux sourire, comme dans l'attente d'un événement miraculeux. L'homme leva les yeux sur Henry, et, de la poche gauche de son veston, il sortit un rasoir à l'ancienne mode. Il ouvrit le rasoir et désigna l'enfant d'un geste de la tête. Il posa la main sur les boucles et coupa la gorge du bébé qui continuait à rire éperdument. Henry poussa un hurlement de terreur ; il fut longtemps avant de comprendre que ni l'homme ni le bébé ne se trouvaient là.

Dès qu'il se sentit apaisé, il sortit précipitamment de la cabine, bondit hors du bateau, et dégringola la colline en courant à travers les pins.

Doc était au sous-sol, travaillant sur des chats, lorsque Henry fit son arrivée. Celui-ci conta son aventure ; Doc, qui n'avait cessé de travailler, le regarda alors attentivement pour essayer de discerner quelle part il fallait faire au mélodrame, et quelle part à la peur. Il s'agissait surtout de la peur.

« Vous pensez que c'était un fantôme ? interrogeait Henry. Est-ce la projection d'une chose qui serait arrivée ailleurs, quelque résidu freudien sorti de moi-même ? Ou bien suis-je tout à fait dingo ? Je vous jure que j'ai vu tout ça ! Devant moi. Aussi nettement que je vous vois !

— Ma foi, je n'en sais rien, dit Doc.

— Vous ne voudriez pas venir avec moi, pour voir si cela se reproduit ?

— Ah non! fit Doc. Si cela devait se reproduire, ce serait un fantôme, et je serais terrifié, car je ne crois pas aux fantômes. Et si vous étiez seul à le voir, ce serait une hallucination, et cela ne vous tourmenterait pas moins.

— Mais que dois-je faire? Si je dois revoir ça, j'en claquerai. Je vous jure qu'il n'a pas l'air d'un meurtrier : il a l'air si gentil, et le bébé aussi. Mais il lui a coupé la gorge, je l'ai vu, ce qui s'appelle vu!

— Je ne suis pas psychiatre, ni chasseur de fantômes, et je n'ai nulle envie de m'y mettre. »

Une voix de jeune fille se fit entendre : « Hé! Doc, je peux entrer?

— Entrez! Entrez! » répondit Doc.

Une jeune fille apparut, plutôt jolie et sémillante.

Et Doc fit les présentations :

« Cet homme est très embarrassé. Ou bien il a vu un fantôme, ou bien il a mauvaise conscience. Racontez-lui tout ça, Henry... »

Henry recommença l'histoire; les yeux de la jeune fille étincelaient.

« C'est horrible, dit-elle. Et dire que je n'ai jamais reniflé un fantôme. Allons au bateau tout de suite, nous allons bien voir s'il revient! »

Doc les regarda s'éloigner, avec un air un peu désabusé. Elle était venue pour lui, tout de même...

La jeune fille ne vit pas le fantôme. Elle fut cinq mois avant de s'apercevoir que la cabine était trop petite, et qu'il n'y avait pas de lavabos.

XXIII

Un nuage noir planait au-dessus du Palace.
Toute la joie s'en était allée. Mack était revenu
du Laboratoire avec ses lèvres tuméfiées, sa mâchoire brisée ; en guise de pénitence, il gardait sa
figure en sang. Il se mit au lit, ramena la couverture sur sa tête, et ne se leva pas de tout le jour.
Il avait le cœur dans le même état que les lèvres.
Tout ce qu'il avait fait dans la vie lui remontait
au cœur et à l'esprit : tout ce qu'il avait fait était
mal. Quelle misère !...

Hughie et Jones demeurèrent quelque temps
plongés dans la stupéfaction et l'inertie, puis un
jour, d'un pas morne, ils se rendirent à l'Usine
Hediondo, demandèrent à se faire embaucher, et
se mirent au travail.

Hazel avait un tel cafard, qu'il partit flâner dans
Monterey, provoqua un soldat, et se laissa rosser
tout exprès. D'avoir été rossé par une mauviette
qu'il aurait pu assommer d'une chiquenaude, lui fit
du bien.

De toute la bande, Darling seule était satis-
faite. Elle passa la journée sous le lit de Mack, à
lui mordiller ses chaussures — et ses petites dents
étaient bien acérées. Par deux fois, dans son déses-

poir, Mack l'avait attrapée sous le lit et l'avait
serrée contre lui, pour avoir un peu de société,
mais la chienne s'était débattue, et elle était retour-
née sous le lit mordiller les chaussures.

Eddie avait traîné ses guêtres en direction de *La
Ida*, et il était entré, et il avait causé avec son ami,
celui qu'il remplaçait, le garçon du bar. Il avait
pris deux ou trois verres, son ami lui avait passé
quelque menue monnaie dont il s'était servi pour
faire jouer cinq fois de suite au piano mécanique :
J'ai du vague à l'âme.

Mack et les gars sentaient planer le nuage noir,
et ils savaient que c'était rudement bien fait pour
eux. Des parias, et pas autre chose, voilà ce qu'ils
étaient ; envolées, les bonnes intentions. Ils avaient
eu l'intention d'offrir une fête à Doc, mais ils se
gardaient d'en parler — même d'y penser. Leur
histoire s'était répandue au *Drapeau de l'Ours*, dans
les usines, et les ivrognes de *La Ida* s'en étaient
indignés. Quant à Lee Chong, il restait muet, il se
sentait lésé, financièrement. L'histoire, d'ailleurs,
s'était transformée en légende : ils avaient, disait-
on, volé des bouteilles, de l'argent, et saccagé le
Laboratoire par pure malice. Les gens bien infor-
més eux-mêmes avaient adopté la légende. Quelques ivrognes de *La Ida* avaient envisagé de faire
une descente au Palace et d'infliger une correction
sensationnelle à toute la bande, pour lui apprendre
que c'était ignoble de se conduire ainsi avec Doc.

Seuls, l'ardeur combative, la vigueur, l'esprit
de solidarité bien connu de Mack et des gars les
protégèrent. Ceux qui s'indignaient le plus avaient
depuis longtemps perdu le sens même de toute
vertu. Le plus enragé était Tom Sheligan, qui, au
fond, ne regrettait qu'une chose, c'est de n'avoir
pas pu assister à l'orgie.

On avait mis Mack et les gars en quarantaine. Quand ils passaient devant la chaudière, Sam Malloy ne leur adressait pas un mot. Ils se repliaient sur eux-mêmes, on en était à se demander si jamais ils pourraient rentrer dans les rangs de la société. Car, en face de l'ostracisme, il n'est que deux attitudes possibles : ou bien l'homme s'améliore et se purifie, ou il jette un défi au monde et se dégrade de plus en plus. En général, les parias choisissent le pire.

Mack et les gars avaient choisi le bien et le mal. Ils étaient tendres envers Darling, indulgents et patients les uns envers les autres ; le premier choc passé, ils avaient nettoyé le Palace de fond en comble, frotté les nickels du fourneau, lavé tous les vêtements et toutes les couvertures. Du point de vue des finances, ils agissaient convenablement. Hughie et Jones travaillaient et rapportaient leur paye à la maison ; ils allaient faire leurs provisions jusqu'au Marché couvert, là-haut, pour éviter les yeux réprobateurs de Lee.

Doc, à ce moment-là, fit une observation qui aurait pu s'avérer juste, mais à laquelle, cependant, un élément manquait, ce qui fait qu'on ne sut jamais si elle n'était point erronée.

C'était le Quatre Juillet. Doc se trouvait assis dans le Laboratoire, en compagnie de Richard Frost ; ils prenaient de la bière et écoutaient de nouveaux disques de Scarlatti en regardant par la fenêtre. Devant le Palace, Mack et les gars étaient accroupis sur une souche, goûtant le soleil matinal.

« Regardez-les, dit Doc. Les voilà, les vrais philosophes! Ils savent tout ce qui s'est passé en ce bas monde, et vraisemblablement tout ce qui se passera. Ils sont mieux adaptés pour survivre que la plupart des gens. A une époque où l'ambition, la convoitise et la nervosité mettent les êtres en lambeaux, ils musent. Tous ceux qui ont réussi, de notre temps, sont des malades, malades du côté de l'estomac et malades du côté de l'âme ; Mack et les gars sont sains, étrangement propres. Ils font ce qu'ils ont envie de faire, ils satisfont leurs appétits sans les décorer de grands noms. »

Ce discours avait si bien altéré Doc, qu'il en vida son verre de bière : « Rien n'égale, dit-il, le goût matinal de la bière.

— Je crois, contesta Richard Frost, qu'ils font partie de l'espèce commune. Ce sont tout bonnement des gens qui n'ont pas le sou.

— Ils pourraient en avoir. Ils pourraient se gâcher la vie et gagner de l'argent. Quand ils veulent avoir quelque chose, ils déploient de l'intelligence, je vous garantis! Mack est doué d'une sorte de génie. Ils connaissent l'essence des choses, et à quoi mène l'ordre du monde, et ils n'ont pas envie de se laisser prendre. »

Doc eût-il mesuré la tristesse de Mack et des gars, qu'il n'eût certes pas fait cette réflexion, mais il ignorait l'ostracisme dont les hôtes du Palace étaient l'objet. Lentement, il se reversa de la bière :

« Vous voulez que je vous donne une preuve?... Tenez : dans une demi-heure à peu près, la Parade du Quatre-Juillet va passer sur la Grande Avenue. Il leur suffit de tourner la tête pour la voir défiler, ils n'ont qu'à se lever, à marcher une vingtaine de mètres pour s'y mêler. Eh bien, je parie une bouteille de bière qu'ils ne tourneront pas la tête!

— Et qu'est-ce que ça prouvera?

— Ce que ça prouvera? Mais diable, ils savent ce que ça représente, un défilé! Le maire en avant, dans sa splendide automobile, le son de la trompette, le grand Bob sur son cheval blanc, portant le drapeau, les conseillers municipaux, les deux régiments de soldats, la Société des Elks, avec les ombrelles écarlates, les Chevaliers du Temple, avec leurs plumes d'autruche blanches et leurs épées, les Chevaliers de Colomb, avec leurs épées, leurs plumes rouges, et la musique de la fanfare! Mack et les gars connaissent tout cela, ils l'ont déjà vu, cela leur suffit...

— Un homme qu'un cortège n'attire pas, n'est pas vivant! s'exclama Richard Frost.

— Alors, on parie?

— On parie!

— Ce qui m'a toujours frappé, dit Doc, c'est que les choses que nous admirons le plus dans l'humain : la bonté, la générosité, l'honnêteté, la droiture, la sensibilité et la compréhension, ne sont que des éléments de faillite, dans le système où nous vivons. Et les traits que nous détestons : la dureté, l'âpreté, la méchanceté, l'égoïsme, l'intérêt purement personnel sont les éléments mêmes du succès. L'homme admire les vertus des uns et chérit les actions des autres.

— Qui souhaiterait être vertueux lorsqu'il subit la loi de la faim? demanda Richard Frost.

— Oh! la faim n'a rien à y voir. Il s'agit de tout autre chose. L'aspiration des âmes est volontaire, et elle est unanime, ou presque. Des exemplaires humains comme Mack et les gars, vous en trouvez partout. J'en ai rencontré pour ma part à Mexico et en Alaska. Vous connaissez l'histoire de la fête qu'ils ont voulu me donner. Les choses ont mal tourné, l'intention était excellente, l'impulsion était là... Oh! écoutez! Vous n'entendez pas la fanfare? » Il se hâta de remplir les deux verres, et ils s'accoudèrent à la fenêtre.

Mack et les gars demeuraient assis sur leur souche, juste en face du Laboratoire. Du côté de la Grande Avenue, le son de la fanfare arrivait, et les maisons répercutaient le bruit du tambour. On vit passer l'auto du maire, dont le klaxon marchait sans cesse, le grand Bob, sur son cheval blanc, portant le drapeau, puis la fanfare, puis les soldats, et puis les Elks, les Chevaliers du Temple, les Chevaliers de Colomb... Richard et Doc s'étaient penchés, mais ils ne cessaient de guetter les hommes alignés sur la souche.

Pas une tête ne s'était tournée, pas un nez ne s'était levé ; le défilé était passé ; ils n'avaient pas bougé. Doc vida son verre d'un trait et leva gentiment deux doigts en l'air : « Rien n'égale, dit-il, le goût matinal de la bière! »

Richard se dirigeait vers la porte : « Quelle sorte de bière prenez-vous ?

— La même, dit-il en souriant. »

Il souriait à Mack et aux gars.

C'est bien joli de dire : « Le temps adoucit tout. Ceci aussi passera, on oubliera. » On répète ces boniments quand on n'est pas soi-même en cause ; lorsqu'on y est, on sait que le temps n'efface rien, que personne n'oublie et que l'on se trouve au cœur d'un malheur qui ne change pas. Doc ignorait le chagrin et les remords qui rongeaient les hôtes du Palace ; s'il l'avait su, il eût tenté de faire quelque chose. S'ils avaient su ce que Doc éprouvait, Mack et les gars auraient de nouveau relevé la tête.

Ce furent des jours noirs. La laideur et la méchanceté s'abattaient sur le terrain vague. Sam Malloy s'était mis à battre sa femme et la faisait tout le temps pleurer, ses sanglots résonnaient dans la chaudière, comme si elle avait pleuré sous l'eau.

On eût dit que Mack et les gars étaient la source de tout le mal. Le costaud du *Drapeau de l'Ours* avait flanqué un ivrogne à la porte, mais il l'avait jeté trop fort, trop loin : il lui avait cassé la colonne vertébrale. Alfred dut se rendre trois fois à Salinas avant que l'affaire fût classée, et ce furent des ennuis sans nom ; Alfred était un si gentil costaud que d'ordinaire il ne blessait jamais personne.

Pour comble, un groupe des dames cultivées de la ville se mit à réclamer à grands cris la fermeture des mauvais lieux, en vue de préserver la santé de la jeunesse américaine. Cela se reproduisait tous les ans, au moment de la morte-saison entre le Quatre Juillet et la Foire annuelle. Dora fermait alors le *Drapeau de l'Ours* pour une semaine, et au fond ce n'était pas bête. Cela donnait des vacances à tout le monde et permettait de rafistoler la plomberie et de repeindre les murs. Mais cette année, c'était une vraie croisade. Il fallait une tête à ces dames. Tout l'été avait été morne, et elles étaient très énervées. Les choses allèrent même si loin qu'il fallut leur tout dire : qui était le propriétaire du mauvais lieu, quel était le montant du loyer, et quelles seraient les conséquences, en cas de fermeture. La menace alla jusque-là !

Dora ferma pendant quinze jours, et pendant ces quinze jours, comme par fait exprès, trois congrès se tinrent ; le bruit courut que les cinq congrès qui devaient se tenir à Monterey l'année suivante avaient été annulés. Tout allait mal, et de mal en pis. Doc avait dû contracter un emprunt à la banque pour racheter le matériel cassé pendant l'orgie ; Elmer Rechati, qui s'était endormi sur la voie où passe l'express, avait eu les deux jambes broyées ; une tempête effroyable et tout à fait inattendue, avait démoli une barcasse, et envoyé promener ses barques de secours qu'elle avait projetées, en miettes, sur la plage Del Monte.

Bref, rien n'arrivait à expliquer cette série noire. Certains se demandaient si ce n'était pas la punition de tous les péchés qu'on n'avoue pas, on entrait sous le signe du mal et du malheur, quelqu'un parla des taches solaires et un autre invoqua la loi des probabilités... Les médecins eux-mêmes n'étaient pas à la noce, car s'il y avait des malades, il y avait peu de bons payeurs. Et d'ailleurs, tout cela n'était pas du ressort de la médecine.

Pour comble, voilà que Darling tomba malade. En moins de cinq jours, la petite chienne grasse et sémillante avait été réduite à l'état de squelette, avec un museau rouge foncé et des gencives blanchâtres. Elle vous montrait des yeux languides, un misérable corps brûlant, que le froid faisait grelotter. Impossible de la faire manger, ni de la faire boire. La panique envahit le Palace. Sans hésiter, Hughie et Jones quittèrent leur place afin de pouvoir soigner Darling ; on organisa un roulement ; on lui renouvelait une serviette mouillée sur la tête, elle devenait de plus en plus faible et allait de plus en plus mal. Et à la fin des fins, bien malgré eux, Hazel et Jones furent désignés pour se rendre chez Doc. Ils le trouvèrent en train d'étudier le tableau des marées, et attablé devant un consommé de poulet sans poulet mais préparé au concombre marin. Ils eurent l'impression d'être reçus assez fraîchement.

« C'est à cause de Darling... Elle est malade.

— Qu'est-ce qu'elle a ?

— Mack dit que c'est une fièvre maligne.

— Je ne suis pas vétérinaire. Je ne sais pas comment traiter ça.

— Écoutez, hasarda Hazel, vous ne pourriez

162

pas venir la voir ? Elle est sur le point de crever...

Pendant que Doc examinait Darling, ils avaient fait un cercle autour de lui. Il examina les paupières, les gencives, l'oreille, tâta les reins et la colonne vertébrale :

— Elle refuse la nourriture ?

— On ne peut pas lui faire prendre une bouchée, dit Mack.

— Il faut la forcer à manger : de la soupe épaisse, des œufs et de l'huile de foie de morue. »

Ils le trouvèrent glacé et strictement professionnel. Il retourna à son faux bouillon de poulet et à son tableau des marées.

Là, à présent, Mack et les gars avaient de quoi s'occuper ! Faire bouillir de la viande, jusqu'à ce que le jus soit aussi fort que du whisky, verser de l'huile de foie de morue au fond de la gueule de Darling, lui tenir la tête et lui faire avaler la soupe... Toutes les deux heures on la gavait et on la faisait boire. Jusqu'à présent, ils avaient dormi par roulement ; maintenant, personne ne dormait. Ils restaient assis sans mot dire et attendaient la prochaine crise.

Elle survint le matin très tôt. Les gars s'étaient un peu assoupis sur leurs chaises, mais Mack seul était éveillé, ne quittant pas le chien des yeux. Il vit les petites oreilles s'agiter, et la poitrine se soulever. Avec une extrême faiblesse, l'animal se dressa, se traîna du côté de la porte, prit quatre lampées d'eau, puis retomba sur le plancher.

Mack, hurlant, alerta les gars. Il se mit à danser, pesamment, dans la pièce, les gars s'interpellaient avec des hurlements. Lee Chong, qui sortait sa boîte à ordures, les entendit et fit la moue ; Alfred les entendit aussi, et se dit : ils ont des amis !

A neuf heures du matin, Darling, d'elle-même,

avait avalé un œuf cru et lampé un demi-bol de crème fouettée. A midi, il était évident qu'elle avait engraissé, dès le soir elle commença à frétiller ; à la fin de la semaine, c'était une chienne en bonne santé.

Enfin, la guigne avait l'air de céder. Il y avait une fissure. On en vit d'autres. La barcasse fut remise à l'eau ; elle tenait convenablement la mer ; on fit prévenir Dora qu'elle pouvait ouvrir de nouveau le *Drapeau de l'Ours*. Earl Wakefield attrapa un dragon à deux têtes, et le vendit huit dollars au Museum. La porte du malheur était brisée, elle tomba en morceaux. On vit un soir les rideaux se tirer, au Laboratoire, la musique grégorienne se déroula jusqu'à deux heures du matin, puis, la musique s'arrêta, mais l'on ne vit sortir personne. Quelque force bizarre s'insinua dans le cœur de Lee, et dans un accès oriental, il accorda le pardon à Mack et aux gars, les libérant même par écrit de leur dette en grenouilles, qui lui donnait d'ailleurs depuis longtemps des maux de tête fous. Et il fit plus : en signe de pardon absolu, il leur porta chez eux une bouteille de *Old Tennis Shoes* qu'il leur offrit. Il avait été très vexé de les voir faire leurs achats au Marché couvert, mais il n'y voulait plus penser.

La visite de Lee coïncida avec le premier signe agressif de santé présenté par Darling, de plus en plus gâtée : quand Lee fit son entrée, le flacon tendu, Darling était en train de déchirer, d'une dent joyeuse, l'unique paire de bottes en caoutchouc possédée par Hazel, et ses maîtres ravis applaudissaient ses ébats à tout rompre.

Mack ne se rendait jamais au *Drapeau de l'Ours* pour des raisons professionnelles, cela lui eût semblé de l'inceste, il fréquentait un autre établissement, situé du côté du terrain de football. Aussi, quand il entra au bar, chacun pensa qu'il désirait un verre de bière. « Dora est là? demanda-t-il à Alfred.

— Qu'est-ce que vous lui voulez?

— J'ai quelque chose à lui demander.

— A propos de quoi?

— Est-ce que ça te regarde?

— Oh! Oh! Ça va! Je m'en vais voir si elle veut te causer. »

Quelques instants plus tard, il introduisit Mack dans le sanctuaire. Dora était assise devant un bureau à coulisse. Ses cheveux orange étaient remontés en grosses boucles, au sommet de la tête, et elle portait au-dessus des yeux une visière verte. Elle mettait son registre à jour, un superbe registre relié de cuir. Elle était enroulée dans un déshabillé de soie rose, avec de la dentelle au cou et aux poignets. Elle pivota sur son fauteuil tournant, dès l'entrée de Mack et lui fit face ; Alfred se tenait dans l'embrasure de la porte et attendait, mais Mack attendit patiemment, jusqu'à ce qu'Alfred eût disparu.

« Alors... que puis-je faire pour vous? demanda Dora après l'avoir examiné de bas en haut.

— Eh bien voilà... Madame... Vous avez peut-êt' entendu parler de ce qu'on a fait, chez Doc, y a un bout de temps...

Dora releva sa visière jusqu'au sommet du front, posa son porte-plume dans son plumier :

— Oui... on m'en a parlé.

— N'est-ce pas, madame, on faisait ça pour Doc. Vous pouvez peut-êt' pas le croire, mais on voulait lui donner une fête... Ce qu'il y a eu, c'est qu'il n'est pas rentré à temps et que... enfin, on a perdu le contrôle...

— C'est ce que j'ai entendu dire. Seulement...
qu'est-ce que je peux faire?

— N'est-ce pas... Moi et les gars, on veut vous
consulter. Vous savez ce qu'on pense de Doc. On
voudrait que vous nous disiez ce qu'on pourrait
faire pour que... pour lui montrer...

— Hum!... » fit Dora. Elle pivota dans l'autre
sens sur son fauteuil, croisa les jambes, et lissa son
déshabillé. Puis elle prit une cigarette, l'alluma, et
se plongea dans les réflexions : « Vous lui avez
donné une fête et il n'y était pas. Pourquoi ne lui
en donneriez-vous pas une autre, à laquelle il assi-
terait? » demanda-t-elle.

« Seigneur! » répétait Mack, un peu plus tard,
en contant sa visite aux gars. « C'était simple, y
fallait le trouver! Ah! alors, quelle sacrée bonne
femme! On peut pas s'étonner, si elle est devenue
patronne! Ah! alors, quelle sacrée bonne femme! »

XXIV

Mary Talbot — pardon, Madame Tom Talbot —
était une jeune femme adorable. Une chevelure
rousse à reflets verts, une peau dorée, qu'on aurait
dite doublée de vert, de grands yeux verts tachetés
d'or, une petite face triangulaire, aux pommettes
saillantes et au menton pointu. Ses jambes et ses
pieds étaient ceux d'une danseuse née, elle ne
semblait pas toucher terre. Quand elle était « dans
tous ses états », et cela lui arrivait souvent, son
petit visage doré flamboyait. Son arrière-arrière-
grand-mère avait été brûlée comme sorcière.

Plus que tout au monde, Mary Talbot adorait
recevoir ou sortir. Mais comme Tom Talbot ne
gagnait pas beaucoup d'argent, ils ne pouvaient
recevoir tous les jours : elle forçait donc les gens à
recevoir chez eux. De temps en temps, elle téléphonait à une amie et lui disait à brûle-pourpoint :
« Vous ne pensez pas que ce serait le moment de
lancer des invitations ? »

Mary fêtait son anniversaire six fois l'an, et elle
s'y entendait pour organiser des surprises-parties,
des bals costumés, et des dîners d'adieu avant de
partir en vacances! Ses réveillons étaient étour-
dissants. Toujours en réceptions et en sorties, Mary

167

soulevait son mari, Tom, sur les vagues de sa folie. Quelquefois, dans l'après-midi, quand Tom était à son bureau, Mary offrait un thé aux chats du voisinage. Elle mettait le couvert sur un tabouret, avec un petit ménage de poupée. Elle appelait les chats — et ils étaient assez nombreux — et leur contait tout ce qui lui passait par la tête. C'était un de ses jeux préférés : quand on n'a pas beaucoup d'argent, une garde-robe assez légère... Lorsque les choses allaient très mal, pour les Talbot, qu'ils se sentaient près du naufrage, Mary s'arrangeait pour donner une espèce de réception.

C'était son fort. Propager la gaieté. Elle s'en servait comme d'une arme contre le désespoir toujours prêt à fondre sur Tom. Tom était né pour réussir, chacun le savait, et il incombait à Mary de le sauver du désespoir. Un nuage noir approchait-il, Mary allumait son feu de joie. Et elle avait jusqu'à présent toujours gagné.

Un jour, c'était le premier du mois, le loyer n'était pas payé, ni la note de l'eau, on était sans argent, un manuscrit avait été retourné par une revue, et une autre revue en avait retourné un autre, et Tom souffrait de sa pleurésie : il était si découragé qu'il s'enferma dans la chambre à coucher et se jeta tout d'une pièce sur le lit.

Mary entra tout doucement, sur la pointe des pieds ; elle portait à la main un bouquet de dragées, entouré d'une collerette de papier dentelé : « Sens-moi ça », lui dit-elle, et elle lui mit le bouquet sous le nez. Il renifla le petit bouquet et ne souffla mot.

« Sais-tu quel jour c'est, aujourd'hui ? » se demandant quel anniversaire, quelle fête elle pourrait invoquer...

« J'en ai assez, dit Tom. A quoi sert de nous abuser ? Tout est fini, nous touchons le fond...

« Tu rêves! Tu ne sais pas qu'on est des sorciers, qu'on l'a toujours été? Souviens-toi donc : les dix dollars qu'on a trouvés, oubliés dans les pages d'un livre! les cinq dollars que ton cousin t'a envoyés... Mais rien ne peut nous arriver. Et tu le sais bien!

— Rien ne peut, mais *c'est* arrivé. Je regrette, mais j'en ai par-dessus la tête de me raconter des histoires. Bluffer, s'illusionner, j'en ai la nausée! J'aime mieux regarder les choses en face. Au moins une fois...

— Moi qui étais justement en train de projeter une petite réception pour ce soir!

— Mais, grands dieux, avec quoi? Tu ne peux tout de même pas leur offrir la photographie d'un jambon! J'en ai assez, de toutes ces histoires! Ça n'est plus drôle. Je trouve même que c'est très triste...

— Une petite réception! Une toute petite... pas habillée... Quand je pense que c'est l'anniversaire de la fondation de la Ligue pour la Propagation des Fleurs, des Plantes, et des Légumes et que tu n'y as même pas pensé!

— Tu perds ton temps. Je sais bien que je suis au-dessous de tout, mais je n'en peux plus. Sors, ma chérie, ferme la porte, et laisse-moi seul. Si tu ne sors pas de bon gré, je te fous à la porte. »

Elle le regarda attentivement : mais c'est qu'il parlait sérieusement! Elle fit une sortie très digne, ferma la porte derrière elle ; Tom se retourna, et enterra sa tête entre ses bras. Il l'entendait aller et venir dans la pièce voisine.

Elle s'affairait. Elle avait accroché sur la porte les motifs de décoration qui lui restaient du Noël précédent : des boules de verre et des cheveux d'ange ; elle y ajouta une pancarte où elle avait écrit : « Bienvenue à Tom, notre Héros! » Elle colla son oreille contre la porte. Silence. Elle étendit une serviette sur le tabouret de cuisine, plaça son bouquet dans un verre et le mit au milieu, et plaça tout autour de petites tasses et de petites soucoupes. Quelques pincées de thé dans la théière, la bouilloire pleine sur le feu ; elle sortit dans la cour.

Kitty Randolph prenait son bain de soleil.

« Miss Randolph, dit Mary, j'ai invité quelques amis, pour prendre le thé : nous feriez-vous la grâce de venir ? »

Kitty Randolph se mit sur le dos, et s'étira sous le soleil : « Pas plus tard que quatre heures, ajouta Mary, car mon mari et moi, nous devons sortir dans la soirée, pour fêter le Centenaire de la Fondation de la Ligue pour la Propagation des Fleurs et des Légumes. »

Elle fit le tour de la maison. Kitty Casini, les membres allongés, faisait entendre un grondement sourd en agitant la queue : « Madame Casini... » commença Mary. Mais elle s'arrêta net : Kitty Casini tenait une souris. Elle la caressait gentiment, du bout de la patte, la lâchait puis la reprenait, la poussait vers les groseilliers, et la souris piaillait, tandis que la chatte la retournait dans tous les sens, en agitant voluptueusement la queue.

Tom était assoupi depuis pas mal de temps sans doute lorsqu'il s'entendit appeler. Tom! Tom! Il bondit hors du lit : « Qu'est-ce que c'est? Où es-tu? » Il perçut les sanglots de Mary. Il courut du côté de la cour et comprit tout de suite. « Tourne la tête! » cria-t-il, et il tua la souris. Kitty Casini avait bondi jusqu'en haut de la grille, et l'observait d'un air furieux. Tom ramassa une grosse pierre et la lui lança dans le ventre.

Rentrée à la maison, Mary continuait à pleurer. Mais plus doucement. Elle versa l'eau dans la théière et la déposa sur la table. « Assieds-toi là », avait-elle dit à Tom, parmi ses larmes ; il s'était accroupi sagement devant le tabouret :

— Est-ce que je pourrais pas avoir une plus grande tasse ?

— Ce n'est pas que je donne tort à Mary Casini, répondit Mary. Je connais les chats, ce n'est pas sa faute. Mais tu sais, Tom, je crois que je ne l'inviterai plus...

Elle scruta le visage de Tom : les rides de son front s'étaient effacées, il ne clignait plus des paupières.

— Seulement, tu comprends, cette Ligue pour la Propagation me prend tellement de temps, que je ne sais vraiment plus où donner de la tête.

Cette année-là, Mary Talbot donna une « réception de grossesse ». Les invités se disaient à l'oreille : « Le futur gosse de Mary Talbot, en voilà un qui n'engendrera pas la mélancolie ! »

XXV

Tout le monde avait senti le changement. Il est certes stupide de croire aux présages et aux signes, personne n'y croit, mais nul ne les néglige. Comme partout, dans la Rue de la Sardine, aucune personne sensée ne serait passée sous une échelle, aucune n'aurait ouvert un parapluie dans une maison. Doc était un homme de science incapable de superstition, mais il faut l'avouer, lorsqu'il rentrait tard dans la nuit, et qu'il trouvait devant sa porte, alignées, une rangée de fleurs blanches, cela le mettait mal à l'aise.

Mack ne doutait pas une seconde qu'un nuage noir était demeuré suspendu au-dessus du Palace. Il avait réfléchi aux moindres incidents de la nuit d'orgie et découvert que tout s'était ligué pour leur porter malheur... Non pas que Mack fût superstitieux.

A présent, au contraire, une espèce de joie jaillissait de partout et s'étendait partout. Doc avait une chance folle, une chance quasiment magique, avec les dames qui lui rendaient visite. Dieu sait pourtant qu'il ne se donnait pas beaucoup de peine. Au Palace, Darling engraissait à vue d'œil ; le dressage ancestral l'incitait à se dresser toute

172

seule : dégoûtée de gambader sans cesse sur un plancher mouillé, elle avait pris l'habitude de sortir et se préparait à devenir la plus délicieuse des petites chiennes.

Le souffle fa orable pénétrait la Rue tout entière, il alla jusqu'au Stand Herman, où l'on débite des saucisses, et gagna même l'Hôtel San Carlos. Jimmy Brucia en ressentit les effets, de même que Johnny, le garçon de bar et que Sparky Evea, lorsqu'il se battit de si bon cœur avec les flics. Il entra même dans la prison de Salinas, où Gay, qui jusqu'alors avait mené la bonne vie en laissant le shérif le battre tous les soirs aux échecs, changea brusquement de tactique, et ne perdit plus une seule fois. Il va de soi que la bonne vie cessa, mais Gay se sentit redevenir un homme.

Jusqu'aux lions de mer qui aspiraient le souffle favorable : leurs aboiements prenaient un ton, un rythme qui eût réjoui le cœur de saint François. Des petites filles, en train de réciter le catéchisme, se mettaient à gigoter sans savoir pourquoi. Où se trouvait la source de l'invisible joie ? Un calculateur de génie l'eût peut-être localisée au centre du Palais des Coups. On voyait Jones se lever brusquement de sa chaise, exécuter la danse des claquettes, et se rasseoir, tandis qu'Hazel riait aux anges. La joie était si générale et si diffuse, que Mack se donnait un mal fou pour la canaliser et la ramener à son objet. Eddie, qui avait repris son poste assez régulièrement à *La Ida*, était en train de constituer une cave prometteuse. Il avait renoncé à ajouter de la bière, dans la mixture du bidon, disant que la bière donnait un goût trop plat à la boisson.

Sam Malloy avait planté des reines-marguerites, autour de la chaudière, il avait disposé un petit auvent sous lequel il s'asseyait, le soir, avec sa femme, qui tricotait à ses côtés.

Et le bonheur entra même au *Drapeau de l'Ours*. Les affaires étaient excellentes, la jambe de Phyllis Mae était en voie de guérison, elle allait reprendre son travail, Eva Flanegan était revenue de Saint-Louis, ravie d'être rentrée, car la chaleur avait été excessive, à Saint-Louis, qui, au demeurant, l'avait déçue...

Chacun savait qu'on préparait une fête pour Doc. La nouvelle n'était pas tombée en coup de tonnerre, elle s'était répandue doucement et prenait forme graduellement dans les esprits.

Sur le sujet, Mack raisonnait en réaliste. « Faut pas forcer les choses, disait-il. Une fête, ça ne se réussit pas au commandement. Faut que celle-ci se prépare toute seule...

— Tout de même, quand est-ce qu'on la donnera ? demandait Jones avec une pointe d'impatience.

— Ça, j'en sais rien ! répondait Mack.

— Ça sera une surprise-partie ?

— Évidemment, c'est ce qui se fait de mieux.

— Si au moins nous savions, suggéra Hazel, à quelle date tombe l'anniversaire de Doc, on pourrait la faire ce jour-là ? »

Mack ouvrit une bouche énorme, Hazel n'avait pas fini de l'étonner. « Là, mon fils, t'as mis dans le mille ! Messieurs, on offre des cadeaux, pour les anniversaires ! Nous n'avons plus qu'une chose à faire, c'est de savoir quel jour est son anniversaire !

— Ça doit pas être difficile, intervint Hughie. T'as qu'à lui demander !

— Gros malin ! Tu te vois, demandant à un type quel jour est son anniversaire ! Nous surtout, après ce qu'on a fait ! Hein, y comprendrait pas ? Non,

174

ce que je m'en vais faire, c'est de fouiner un peu par là, mais sans qu'y se doute de quoi que ce soit!

— Je vais avec toi? demanda Hazel.

— Tiens-toi, tranquille! Si on y allait à deux, y se figurerait qu'on vient pour quelque chose...

— Moi je disais ça, pasque tout de même, c'est mon idée...

— T'en fais pas! Moi j'y dirai, à Doc que c'est toi qui l'as eue, l'idée. En attendant, j'y vais tout seul.

— Dis donc, comment qu'il est... Gentil?

— Tout ce qu'il y a de gentil. »

Mack trouva Doc au rez-de-chaussée. Ceint d'un tablier de caoutchouc, les mains gantées de caoutchouc, il injectait les veines et les artères de petits chiens de mer avec un liquide coloré. Ses admirables mains travaillaient avec précision ; il posa son poisson sur une pile bien nette ; il lui restait encore à injecter le liquide bleu dans les artères.

« Alors, Doc, toujours au travail? commença Mack.

— Toujours. Comment va le chien?

— Épatamment! Oh! sans vous, elle aurait crevé! »

Une vague de prudence raidit Doc, et puis le lâcha. Il se méfiait toujours des compliments, mais le ton, cette fois, était celui de la gratitude, il savait à quel point Mack chérissait la chienne : « Et ça va, au Palace?

— Ça va très bien, Doc. Ça peut pas mieux aller. On a deux nouveaux fauteuils. Faudrait venir un jour, c'est pas loin...

— Entendu pour un de ces jours. Eddie rapporte toujours à boire?

— Je pense bien! Mais maintenant, y n'y met

plus de bière, c'est bien meilleur, à mon avis. Vous comprenez, ça a plus de ton.

— Oh! ça avait pas mal de ton... »

Mack avait tout son temps. Tôt ou tard, Doc tomberait dans le filet ; il attendait. Si seulement Doc pouvait le premier lui fournir l'occasion, il se méfierait moins. En règle générale, c'était la tactique de Mack.

« Il y a longtemps que je n'ai pas vu Hazel. Il n'est pas malade, au moins ?

— Il n'en a pas envie. » Là il prit l'offensive : « Non, Hazel va très bien. Seulement, lui et Hughie, y sont en train de se chamailler. Y a huit jours que ça dure. Moi, je me tiens à carreau, pasque j'y connais rien, pas plus qu'y z'y connaissent rien ; en attendant, y se font la gueule...

— A propos de quoi ?

— Eh bien voilà! Hazel, il est tout le temps en train de fouiner dans les calendriers, enfin les machins sur les astres, les jours de chance, les trucs comme ça... Hughie, y dit qu'il est maboul, et Hazel y répond que si vous connaissez le jour qu'un type est né, vous pouvez dire ce qui va lui arriver... Hughie, lui, ça le fout en rogne, y dit qu'Hazel est une nouille, qu'il est en train de se faire avoir. Pasque vous comprenez, y les paye, Hazel, les papelards. Moi, tout ça, je m'en balance. Vous, Doc, qu'est-ce que vous en pensez ?

— Je serais plutôt du côté d'Hughie... »

Doc commençait à injecter le liquide bleu.

« Oh! mais, hier soir, c'est que ça chauffait! Y m'ont demandé quand que j'étais né. Ben, le douze avril, que je leur ai dit. Alors, Hazel il est allé acheter un de ses papelards, et y m'a lu ma destinée. Y avait pas mal de choses vraies, enfin, je veux dire, surtout ce qu'est bon. Au fond, je trouve que chaque type est assez grand pour le savoir, quand il a quelque chose de bon! Y disaient sur le papelard, que j'étais chic, et un brave type, épatant avec les amis... Hazel, y trouve que c'est la vérité... Vous, Doc, quand c'est que c'est, vot' anniversaire ? »

Au terme de ce long discours, la question paraissait toute simple. Pourquoi diable aurait-elle caché une arrière-pensée ? Si Doc n'avait été rompu aux astuces de Mack, il eût tout bonnement répondu : « Le 18 décembre. » Comme il le connaissait, il répliqua : « Le 27 octobre... Demandez donc à Hazel ce que cette date signifie...

— Tout ça, c'est probablement de la blague! poursuivit Mack. Mais Hazel prend ça sérieusement, vous pouvez pas imaginer! Je vais lui demander de regarder... »

Lorsque Mack eut fermé la porte, Doc se demanda à quoi rimait la comédie. C'était bien son style habituel, et sa technique. Doc fit sa découverte un peu plus tard, quand la rumeur prit consistance. Pour le moment, il éprouvait un soulagement, car il avait redouté le pire.

XXVI

Les deux gamins musaient dans le chantier des bateaux : un chat escalada le grillage. Ils se mirent en chasse aussitôt, et le poursuivirent jusqu'au petit chemin, où ils remplirent leurs poches de petits cailloux. Le chat s'était caché parmi les herbes, mais ils gardèrent leurs cailloux, car c'était des cailloux rêvés pour de vrais lanceurs de cailloux. Et qui peut dire qu'il n'aura pas besoin d'en lancer un ?

Ils descendirent le long de la rue, en lancèrent un dans la façade de l'usine Morden : une figure d'homme surgit à la fenêtre du bureau, l'homme se précipita vers la porte, mais les gamins avaient le sang vif : « Y peut nous guetter toute la vie, dit Joey, y s'est pas levé assez tôt pour nous avoir ! »

Ils restèrent quelque temps cachés, se lassèrent, et ils s'en vinrent coller leur nez contre la vitrine de Lee, brûlant de convoitise à la vue des haches, des pinces, des casquettes et des bananes. Leur contemplation terminée, ils s'installèrent sur la dernière marche de l'escalier qui menait au second étage du Laboratoire.

« Tu sais, le type qu'habite ici, dit Joey, y garde des bébés dans des bouteilles.

— Quel genre de bébés? demanda Willard.

— Des bébés ordinaires. Des qui sont pas encore nés...

— Sans blague! Et Willard haussa les épaules.

— Ben parfaitement. Sprague les a vus, y sont pas plus grands que ça, y zont des tout petits pieds, et des mains, et des yeux!

— Et des cheveux?

— Sprague l'a pas dit.

— T'aurais dû y demander! Moi je dis que Sprague est un menteur!

— Tu ferais bien de pas y dire à lui!

— Tu peux y dire que je l'ai dit! Moi j'ai pas peur de lui, et j'ai pas peur de toi non plus! J'ai pas peur de personne! Hein? Tu veux te battre? (Joey ne répondit pas). Alors quoi, tu veux pas te battre?

— Non, dit Joey... Y a qu'à monter, et à demander au type si c'est pas vrai qu'il a des bébés dans des bouteilles. S'il en a, y les montrera.

— Il est pas là. Quand il est là, y a sa voiture devant la porte. Mais Sprague est un menteur. J'ai pas peur de dire que c'est un menteur. Si tu veux te battre... »

On s'embêtait; depuis le matin, Willard s'était battu les flancs pour s'amuser. « Ben, t'es un lâche! Et moi je te dis que t'es un lâche! Pose la veste, si t'es pas un lâche! » Joey ne répondait toujours pas. La tactique de Willard changea : « Ousqu'il est, ton père?

— Mort, articula Joey.

— Ah oui? Je savais pas. De quoi qu'il est mort? »

Joey resta silencieux quelques instants. Il savait que Willard savait, mais il avait peur de Willard.

— Il s'est... il s'est tué. »

179

Willard fit la grimace : « Comment qu'il a fait
ça ?

— Il a mangé du poison pour les rats. »

Un éclat de rire secoua Willard. « Oh! ça, alors...
il s'est pris pour un rat ? »

Joey sourit légèrement, mais pas beaucoup : ce
qu'il fallait!

« Il s'est pris pour un rat! » criait Willard en
s'étranglant. « Dis Joey, y marchait à quat' pattes,
comme un rat ? Il avait une longue queue, comme
un rat ? » Willard n'en pouvait plus.

« Y s'est mis dans un piège à rats ? Il a passé
sa tête ? »

Du coup, ils se mirent à rire tous les deux.

« Dis donc, y ressemblait à quoi, après ?...
Comme ça ? »

Il montra le blanc de ses yeux, ouvrit la bouche,
tira la langue...

« Il a été malade toute la journée. Il est mort
qu'au milieu de la nuit. Il avait mal.

— Mais pourquoi qu'y l'a fait ?

— Y pouvait pas se faire embaucher. Y avait
un an qu'y cherchait à se faire embaucher. Et tu
sais, ce qu'y a de drôle ? Le lendemain matin,
un type est venu à la maison pour lui offrir une
place. »

Mais Willard s'efforçait de revenir à la rigo-
lade.

« Non... quand j'y pense... qu'y se prenait pour
un rat! »

Mais il n'avait plus envie de rire.

Joey se leva et partit, les mains dans les poches.
Comme il marchait, il aperçut dans le ruisseau une
petite pièce de monnaie, et il allait la ramasser,
mais Willard le poussa brutalement et ramassa la
pièce.

« Mais c'est moi qui l'ai vue le premier. C'est à moi!

— Dis, tu veux te battre? demanda Willard en le narguant. Pourquoi tu t'en vas pas prendre du poison pour les rats? »

XXVII

Mack et les gars, les Vertus, les Béatitudes, les Beautés. Ils étaient dans le Palais des Coups, et ils envoyaient leurs effluves dans toute la Rue de la Sardine, jusqu'à Pacific Grove, jusqu'à Monterey, et même jusqu'au sommet de la colline du Carmel.

« Cette fois, dit Mack, il faut qu'on soye bien sûrs qu'il assistera à la fête. Sans lui, pas de fête!

— Cette fois, où c'est qu'on la donnera, la fête? demanda Jones. »

Mack repoussa son fauteuil jusqu'au mur : « Tu parles si j'y ai pensé! On pourrait la donner ici, bien sûr, mais pour l'effet de surprise, y en aurait pas! Et c'est pas tout. Doc, y a rien au-dessus de son chez lui. Et pis, y a sa musique... » Il inspecta la pièce autour de lui : « J'aurais voulu savoir qui c'est qui y a cassé son phonographe, la dernière fois. Mais la prochaine, ç'ui qu'aura le malheur de met' le doigt dessus!...

— C'est chez lui qu'y faut faire la fête », décréta Hughie.

L'annonce officielle de la fête n'avait pas été faite, aucune invitation n'avait été lancée, mais tout le monde y pensait, et chacun se proposait d'y aller. 27 octobre. On se répétait à part soi : « Le 27 octobre! » Et comme c'était une fête d'anniversaire, il fallait penser au cadeau.

Les filles de chez Dora, par exemple. Pas une qui n'eût été voir Doc, à un moment ou à un autre, soit pour prendre un médicament, soit pour le consulter, ou lui tenir compagnie. Elles avaient vu le lit de Doc. Il était recouvert d'une vieille couverture rouge, bordée de queues de renard, et pleine de sable, car il l'emportait avec lui dans ses expéditions côtières. Il se ruinait en équipement de laboratoire, mais l'idée ne lui serait jamais venue de s'acheter un couvre-pieds neuf. Les filles de chez Dora lui confectionnaient en secret un magnifique couvre-pieds. Tout brodé, diapré de mille couleurs, du cerise, du jaune pâle, du vert Nil, du rose chair, car elles employaient pour le faire leurs robes du soir et leur lingerie. C'est le matin qu'elles y travaillaient, et au début de l'après-midi, avant l'arrivée des matelots de la flotte sardinière. Unies par la communauté de l'effort, les filles en oubliaient leurs jalousies et leurs querelles.

Lee Chong sortit de la boutique pour inspecter un stock énorme de pétards et un grand sac de bulbes de lis de Chine. Quoi de plus glorieux, pour une fête ?

A sa manière, Sam Malloy était antiquaire, et il avait ses théories à lui. Les vieux meubles, professait-il, la vieille verrerie, la vieille vaisselle, qui n'avaient aucune valeur du temps qu'ils étaient neufs, ont pris avec le temps une valeur considérable, sans commune mesure avec la beauté ou l'utilité. Il avait entendu parler d'une chaise qui avait rapporté cinq cents dollars. Il collectionnait des morceaux d'automobiles historiques, convaincu qu'après lui, sa collection reposerait sur du velours

183

noir, dans un musée, après avoir fait sa fortune. La fête en perspective était l'objet de ses méditations, et lorsqu'il y pensait, il allait remuer ses trésors, qui reposaient dans une immense caisse verrouillée, derrière la chaudière. Il choisit, pour l'offrir à Doc, l'un des joyaux de sa couronne : le pignon de renvoi d'une Chalmers de 1916. Il frotta la merveille et la fit briller comme une armure antique. Et puis, il fabriqua une petite boîte, qu'il gaina de drap noir.

Mack et les gars tournèrent et retournèrent le problème dans tous les sens ; ils en vinrent à la conclusion que Doc avait éternellement besoin de chats, et qu'il n'en trouvait pas très facilement. Mack sortit donc sa double cage. Ils empruntèrent une chatte en chaleur, et installèrent le piège sous le cyprès, en haut du terrain vague. Leur collection de chats mâles furieux s'enrichissait avec chaque nuit. Pour les nourrir, Jones faisait journellement deux voyages jusqu'aux conserveries où il se procurait des têtes de poisson. Mack estimait — et il avait raison — qu'un cadeau de vingt-cinq chats mâles était, en somme, assez convenable.

« Cette fois, pas de décoration! avait dit Mack. Une fête solide, avec la boisson à gogo! »

Du fond de sa prison de Salinas, Gay avait entendu parler de la fête, et il avait fait un marché avec le shérif qui lui donnait une nuit de congé et même lui prêtait deux dollars pour son voyage aller et retour en autocar. La période électorale approchait : Gay pouvait — disait qu'il pouvait — influencer pas mal de votes, de plus Gay était homme à faire une bonne réputation à la prison s'il n'en était pas mécontent.

Henry-le-Peintre avait récemment découvert que les pelotes à épingles représentaient une forme

d'art déplorablement négligée, ces derniers temps ;
il entreprit de ressusciter la forme, et fut enchanté
de voir ce qu'on pouvait faire avec des épingles de
couleur. Et il préparait justement quelques modè-
les pour une exposition, lorsqu'on lui parla de la
fête ; sans hésiter, il abandonna son travail et se
mit à exécuter une pelote à épingles géante. Il
l'imaginait terminée : un dessin provocant et compliqué, une harmonie en jaune, en bleu et en vert,
rien que des couleurs froides. Comme titre : « Souvenir Pré-Cambrien. »

L'ami d'Henry, Éric, un coiffeur cultivé, col-
lectionneur des premières éditions d'écrivains qui
n'en avaient jamais eu de secondes, décida de
donner à Doc une machine à tisser qui lui était
échue en paiement, après la faillite d'un client. La
machine à tisser était en excellent état, on ne s'en
était jamais servi.

La conspiration grandissait, ce n'étaient que
visites sans fin concernant les cadeaux, et la boisson, et à quelle heure commencera-t-on, et surtout
que Doc n'en sache rien !

Quand Doc eut pour la première fois conscience
de ce qui se tramait, ce fut quand il entra chez Lee,
et que la conversation s'arrêta. Les gens, dans la
boutique, lui parurent très froids, compassés.
Quand une demi-douzaine de personnes lui eurent
demandé ce qu'il faisait le 27 octobre, il fut assez
surpris, car il avait complètement oublié qu'il avait
indiqué cette date comme celle de son anniversaire.

Un certain soir, il s'arrêta au Bar Halfway, où ils
avaient une bière à la pression qu'il aimait parti-
culièrement et qu'ils servaient à la bonne température. Il avala le premier verre, il allait déguster
le second, lorsqu'il entendit un ivrogne parler avec
le garçon de bar :

« Vous allez à la fête ?

— Quelle fête ?

— C'est... un... secret... Ben quoi, vous connaissez pas... Doc... en bas, dans la Rue de la Sardine ?...»

Le garçon de bar jeta un coup d'œil autour de
lui.

« Voilà, reprit l'ivrogne... On lui donne une de
ces fêtes !... Oh, mais alors, une de ces fêtes, pour
son anniversaire !

— QUI, la lui donne ?

— Ben quoi : tout le monde... »

La réaction de Doc ne fut pas simple. D'une part,
il était attendri à la pensée de l'amicale attention,
et en même temps, une blessure s'ouvrait au souvenir de la dernière fête...

Tout s'éclairait : la question de Mack, les silen-
ces lorsqu'il arrivait quelque part. Il y pensa toute
la nuit. Il y aurait pas mal de choses à mettre sous
clef. La fête allait lui coûter gros.

Dès le lendemain, il s'attela à ses propres prépa-
ratifs. Ses disques les plus précieux, il les rangea
dans la pièce du fond, ainsi que les appareils fra-
giles... Ses invités ne tarderaient pas à avoir faim
et ils n'apporteraient pas de quoi manger ; ils
seraient vite à court de boisson. Il se rendit donc au
Marché couvert où il connaissait un boucher, il
commanda quinze livres de steak, dix livres de
tomates, douze têtes de laitues, six pains, un grand
pot de beurre, une jarre de confitures de groseilles,
une trentaine de litres de vin, et six bouteilles de
whisky de bonne qualité sans être pourtant du
plus fin... Trois ou quatre fêtes de ce genre, et il
serait ruiné : adieu au cher Laboratoire...

Pendant ce temps, dans les alentours, la fièvre
atteignait le paroxysme. Doc ne se trompait pas,
nul ne songeait à la nourriture, mais les bouteilles

s'entassaient partout. Les cadeaux se multipliaient. Au *Drapeau de l'Ours*, on ne cessait de discuter sur les robes qu'on porterait. Hors du travail, les filles n'avaient nul besoin de porter les somptueuses robes de soirée qui étaient comme leur uniforme. Elles décidèrent de venir en robes de ville. Les choses, malheureusement, n'étaient pas simples : Dora tenait à ce que l'établissement ne fût pas complètement désert, quelques filles devaient rester pour recevoir les habitués. On organisa des équipes, mais cela suscita des disputes : lesquelles partiraient les premières ? Les premières pourraient voir la figure de Doc lorsqu'on lui présenterait le couvre-pieds. Il était placé dans un cadre, dans la salle à manger, et il était presque fini. Quant à madame Malloy, elle avait mis son ouvrage de côté, et faisait au crochet six petits dessous pour les verres de bière de Doc. L'époque d'énervement était passée, faisant place à un grand sérieux. Dans leur cage du Palais des Coups, le miaulement des quinze chats mâles rendait Darling un peu nerveuse.

XXVIII

Tôt ou tard, l'annonce de la fête devait arriver jusqu'aux oreilles de Frankie. Tel un petit nuage, Frankie traînait un peu partout. Il se mêlait aux groupes, nul ne faisait attention à lui, il n'avait pas l'air d'écouter... Toujours est-il qu'il entendit parler de la fête, que le sentiment de la plénitude monta en lui, doublé d'une âcre nostalgie.

Dans la vitrine du magasin d'orfèvrerie Jacob, trônait depuis pas mal de temps la plus belle chose qui fût au monde. C'était une pendule d'onyx noir, avec un cadran d'or. La pendule était couronnée (c'était bien ce qu'il y avait de plus beau) d'un saint Georges terrassant le dragon. Le dragon était sur le dos, la gueule dressée, et la poitrine offerte à l'épée de saint Georges ; le saint était couvert de son armure, la visière du casque levée, monté sur un cheval de labour. La chose inouïe, c'est qu'il portait une barbe en pointe et ressemblait un peu à Doc.

Plusieurs fois la semaine, Frankie montait jusqu'à la rue Alvarado, et demeurait en contemplation devant la vitrine. Il en rêvait, il rêvait qu'il portait la main sur le bronze riche et satiné, il en rêvait depuis des mois, lorsqu'il entendit parler de la fête.

Il resta bien une heure, sur le trottoir, avant d'entrer. « Vous désirez ? » articula monsieur Jacob, qui l'avait rapidement jaugé et qui savait pertinemment qu'il n'avait pas soixante-quinze cents en poche.

— Combien est-ce ? demanda Frankie d'un ton abrupt.

— Quoi donc ?

— Ça !

— La pendule, vous voulez dire ?... Cinquante dollars ! Et soixante-quinze dollars avec le groupe ! »

Frankie sortit sans souffler mot. Il fila vers la plage, se coucha sous une barque renversée, et regarda frétiller les vagues. Cette beauté de bronze était si bien gravée dans son esprit, qu'il la voyait nettement devant lui. Une frénétique aspiration s'empara de lui : cette merveille, il la lui fallait ! Chaque fois que l'aspiration montait, l'éclat de son regard s'intensifiait.

Tout le jour, il demeura couché sous le bateau ; quand vint la nuit, il émergea de son repaire, et retourna rôder en direction de la rue Alvarado. Les gens entraient, sortaient, dans les bars et les cinémas, et il marchait de long en large devant le pâté de maisons. Il n'avait pas sommeil, il ne ressentait aucune fatigue : la merveille brûlait en lui comme dans un brasier.

A la fin, la foule s'éclaircit, vida les rues, les voitures parquées disparurent : la ville s'apprêtait à dormir.

Un policeman examina Frankie attentivement : « Qu'est-ce que vous faites-là ? »

Frankie prit ses jambes à son cou, tourna le coin de la rue, et se cacha dans une allée, derrière un tonneau.

A deux heures et demie du matin, il revint prudemment devant chez Jacob, et essaya de tourner la poignée de la porte. Fermé. Il retourna vers le tonneau et médita profondément. A côté du tonneau, il y avait un morceau de ciment, qu'il ramassa.

Le policeman déclara plus tard qu'il entendit le bris de glace, et accourut immédiatement. La vitrine de Jacob était en miettes. Il vit le délinquant courir à toute allure, à tel point qu'il se demanda comment on pouvait courir de la sorte avec douze kilos de pendule, et qu'il s'en fallut de très peu que le délinquant ne lui échappât.

Le lendemain matin, le chef de la police appela Doc au téléphone : « Auriez-vous l'obligeance de venir tout de suite ? Je voudrais vous parler d'urgence. »

On amena Frankie devant lui, un Frankie hâve et pas débarbouillé, un Frankie aux yeux rouges et aux lèvres serrées, qui esquissa un semblant de sourire à la vue de Doc.

« Alors, Frankie, qu'est-ce qui se passe ? demanda Doc.

— Il s'est introduit chez Jacob, la nuit dernière, spécifia le chef de la police. Il a cambriolé je ne sais pas quoi. On a interrogé sa mère. Elle dit que ce n'est pas sa faute, parce qu'il est toujours à rôder auprès de chez vous...

— Frankie... tu n'aurais pas dû faire ça! dit Doc. » Le poids de la fatalité s'enfonçait dans son cœur. « Vous ne pourriez pas le mettre en liberté provisoire et me le confier ?

— Je doute que le juge y consente, répondit le chef. Il y a déjà un examen mental, et un rapport. Vous savez de quoi il est atteint, ce gars-là ?

— Oui, oui... je sais, murmura Doc.

— Et vous savez ce qui se passera, au moment de la puberté ?

— Je sais, je sais. »

Le poids s'enfonça plus avant.

« Le docteur estime qu'on ne peut pas tarder davantage. On ne pouvait pas, jusqu'à présent. Mais maintenant, il est inculpé. Je crois que ça vaut mieux pour lui... »

Comme Frankie entendit ces mots, l'ombre de son sourire s'effaça.

« Qu'est-ce qu'il a pris ? demanda Doc.

— Une grande pendule, très jolie, et une statue de bronze.

— Je paierai le tout.

— Oh ! nous l'avons fait rapporter. Mais je doute que le juge accepte. Cela recommencera, vous le savez bien.,

— Bien sûr... Pourtant, il avait peut-être une raison. Pourquoi as-tu pris ça, Frankie ? »

Frankie le regarda longuement :

« Je vous aime ! » dit-il à la fin.

Doc se précipita hors de la pièce, monta dans sa voiture, et partit pêcher dans les caves, sous les rochers de la pointe Lobos.

XXIX

Le 27 octobre, à quatre heures, Doc achevait
la mise en bonbonne de son dernier lot de médu-
ses. Il rinça soigneusement la bonbonne de forma-
line, nettoya ses pinces, et retira ses gants de caoutchouc. Puis il monta, distribua leur pitance aux
rats, rangea les microscopes et les beaux disques
dans la chambre du fond, et la ferma à clef. Si
invité s'avisait de vouloir faire joujou avec les
serpents à sonnettes (la chose s'était déjà produite)
maintenant, toutes les précautions étaient prises,
il avait tout prévu, et il espérait bien que la fête
resterait correcte, sans être morne pour autant.

Il prépara un pot de café, plaça le disque de la
Grande Fugue, sur le plateau tournant, et prit une
douche. Tout cela se fit en un tournemain : la
Fugue n'était pas terminée, qu'il était déjà habillé,
et qu'il avait pris son café.

Il regarda par la fenêtre : rien ne bougeait, du
côté du Palace. Qui viendrait à la fête, quel serait
le nombre d'invités ? Autant d'énigmes. Mais il se
sentait épié (il en avait eu conscience toute la
journée). Il n'avait pourtant vu personne, mais on
ne l'avait pas quitté de l'œil. Ce serait donc une
surprise-partie. Il ferait aussi bien de se montrer

surpris. Mine de rien, comme à l'ordinaire. Il traversa
la rue pour aller chez Lee Chong, acheter ses deux
quarts de bière. Il régnait chez Lee comme un
refoulement de jubilation orientale. C'était signe
qu'il serait de la fête. Doc retourna au Laboratoire et se servit un verre de bière ; le premier, il
le but pour se désaltérer, et le second pour le plaisir. La rue et le terrain étaient toujours déserts.

Mack et les gars étaient enfermés au Palace,
toutes portes closes. Le fourneau avait ronflé tout
l'après-midi : on faisait chauffer de l'eau pour se
laver à fond. Darling elle-même avait pris son bain,
et on lui avait noué un ruban rouge autour du
cou.

« A votre avis, à quelle heure partira-t-on ?
demanda Hazel.

— Pas avant huit heures, j'imagine ! répondit
Mack. Mais je ne vois pas d'inconvénient à ce
qu'on boive le coup auparavant, un tout petit
coup, histoire de se réchauffer un peu...

— Et Doc, si on le réchauffait aussi ? suggéra
Hughie. Si je lui portais une bouteille, comme ça,
sans avoir l'air de rien ?

— Mais non, voyons ! Il a déjà été chercher sa
bière chez Lee !

— Tu crois qu'il se doute de quelque chose ?
demanda Jones.

— Pourquoi qu'y s'en douterait ? » répondit
Mack.

Deux chats commençaient à se disputer, dans
la cage, et la cage tout entière prenait parti, à
grand renfort de miaulements et de dos ronds. On
n'avait pris que vingt et un chats.

« Comment diable qu'on va transporter tous
ces chats, fit Hazel : on pourra jamais faire passer
c'te grande cage à travers la porte ! »

Mais Mack le rassura : « T'en fais donc pas! Tu sais bien comment qu'on a fait, avec les grenouilles! On dira tout bonnement à Doc qu'on a les chats, et qu'y n'a qu'à venir les prendre. » Là-dessus, il se leva et déboucha l'une des bonbonnes apportées par Eddie : « On ferait mieux de se réchauffer », ajouta-t-il.

A cinq heures et demie, le vieux Chinois descendit la colline, et passa devant le Palace en clopinant. Il traversa le terrain, puis la rue, et disparut entre le Laboratoire et l'usine Hediondo.

Au *Drapeau de l'Ours*, les filles s'habillaient. On avait tiré à la courte paille, pour les équipes de roulement, on se relèverait d'heure en heure...

Dora se montra dans une forme splendide. Ses cheveux oranges, teints de frais, avaient été bouclés et ramenés au sommet de la tête, elle avait son alliance au doigt, et, au milieu de la poitrine, une énorme broche de diamant ; sa robe était en satin blanc, brodée de branches noires. Ce qui se passait à l'intérieur des chambres allait tout à fait à l'encontre des habitudes ordinaires.

Celles qui restaient portaient de longues robes du soir, celles qui sortaient étaient revêtues de petites robes imprimées, qui d'ailleurs leur allaient fort bien. Le couvre-pieds fin prêt et emballé, avait été placé dans le bar, à l'intérieur d'un carton gigantesque. Le costaud grognait bien un peu, car il n'allait pas à la fête, on l'avait décidé ainsi : il fallait malgré tout quelqu'un pour garder la maison. En dépit de l'interdiction, chaque fille avait caché sur elle un petit flacon bien rempli, et chacune attendait le moment de prendre des forces pour arriver en pleine forme à la fête.

D'un pas majestueux, Dora entra dans son boudoir et tira soigneusement la porte. Elle ouvrit le tiroir du bureau, en sortit une bouteille, un verre, et se versa un coup ; la bouteille tinta joliment, contre le verre. Une fille, qui passait tout auprès, entendit le tintement, donna l'éveil : Dora pouvait y venir, à présent, pour renifler l'haleine des autres ! Les filles se précipitèrent vers leurs chambres et sortirent leurs flacons. Le crépuscule envahissait les alentours, c'était l'heure grise, celle qui sépare la lumière du jour de la lueur des réverbères. Phyllis Mae souleva le rideau du grand salon.

« Vous le voyez ? demanda Doris.

— Oui ! Il vient d'allumer. Il est assis, il a l'air de lire... Seigneur, ce que ce type-là peut lire ! Mais y va s'abîmer les yeux ! Il tient un verre de bière dans la main.

— Dites donc, dit Doris, on pourrait peut-êt' s'en jeter un ? »

Phyllis Mae boitillait un peu, mais elle était fraîche comme une rose. « C'est quand même drôle, remarqua-t-elle. Dire qu'il est là, bien tranquille, et qu'y ne se doute même pas ce qui se mijote !

— Y vient jamais ici ! dit Doris, un peu tristement.

— Y a des types qui veulent pas payer, lança Phyllis, ça leur coûte beaucoup plus cher, mais y s'en rendent pas compte !

— Vous savez, y les aime peut-être ?

— Qui donc ?

— Ben, les filles qui viennent chez lui !

— Oh ! ça se peut ! Moi j'y ai été. Mais il a jamais rien cherché !

— Bien sûr. Ça veut pas dire que si tu travaillais pas ici, ça se passerait sans que tu te débattes...

— Qu'est-ce que tu veux dire ? Il en aurait après not' métier ?

— Non, c'est pas ça que je veux dire. Y croit

195

peut-êt' qu'avec nous aut', c'est pas pareil... »

Elles prirent une seconde rasade.

Dora, dans son bureau, s'en versait également une autre, après quoi elle ferma le tiroir à clef. Devant la glace, elle remit un peu d'ordre dans l'impeccable échafaudage de ses boucles, fit briller ses ongles grenat, puis se dirigea vers le bar. Alfred, le costaud, faisait une tête de tous les diables, oh! ce n'était pas qu'il se plaignît, mais il faisait la tête tout de même. Dora le regarda froidement : « Qu'est-ce que vous avez ?

— Rien. Rien du tout, ça va très bien.

— Dites moi, vous tenez à votre place ?

— Mais je ne dis rien! » Alfred posa ses coudes sur le comptoir et se regarda dans la glace. « Allez-y, dit-il, amusez-vous bien! Je suis là, moi, vous en faites pas! »

Le cœur de Dora s'attendrit. « Écoutez, il faut qu'il y ait un homme, dans l'établissement. On ne sait jamais, il pourrait y avoir une bagarre, les petites ne s'en tireraient jamais. Un peu plus tard, vous pouvez venir faire un tour. De la fenêtre, vous pourrez garder l'œil sur la maison... Alors, ça ira comme ça ?

— Ça me ferait rudement plaisir de venir! Oui, j'irai juste une minute. La nuit dernière, on a eu un cochon d'ivrogne. C'est drôle, mais j'sais pas, Dora, depuis que j'y ai cassé le dos, à c'type, ça va pus, ça va pus du tout, j'suis pus sûr de moi, j'ose pus tabasser personne...

— Faudra vous reposer. Je pourrais peut-être demander à Mack de vous remplacer pour une semaine ou deux... »

Dora, quelle patronne épatante!

Doc s'était servi un petit whisky, après sa bière. Il se sentait tout attendri. C'était vraiment gentil d'avoir pensé à lui offrir une fête. Il mit, sur le plateau, la *Pavane pour une Infante*, et se sentit envahi d'une douce mélancolie, ce qui lui fit choisir ensuite *Daphnis et Chloé* ; il essaya de secouer l'accès de tristesse, {mais après tout, pourquoi le secouer ? Ce n'était pas si désagréable... « Je n'ai qu'à jouer ce qui me fait envie, prononça-t-il à haute voix. Je peux jouer *Au Clair de la Lune*, si j'en ai envie. Je suis un homme libre! »

Encore un whisky. Il fit un compromis avec lui-même et choisit la *Sonate au Clair de Lune*. Sur la façade de *La Ida*, l'éclairage au néon s'allumait, s'éteignait, se rallumait... La façade du *Drapeau de l'Ours* s'illumina.

Un escadron d'énormes frelons bruns vint se heurter contre la lampe, et retomba au sol en agitant les pattes et en tâtant le sol du bout des antennes. Une chatte en quête d'aventure se promenait solitaire le long de la gouttière, se demandant ce qu'il avait bien pu advenir de tous les chats qui donnaient tant de goût à la vie, et qui rendaient les nuits affreuses...

Sortant la tête de la chaudière, monsieur Malloy, appuyé sur ses mains, regardait de tous les côtés pour voir si c'était le moment de se rendre à la fête. Tandis que les gars, au Palace, avaient les yeux fixés sur les aiguilles noires du réveille-matin.

XXX

L'essence des fêtes, leur nature, voilà un beau
sujet d'étude et un sujet inexploré! On sait tout
de même, assez généralement, qu'une fête est une
espèce d'individu destiné à devenir pervers. D'une
façon générale, on n'ignore pas moins qu'une fête
répond très rarement à l'intention qui l'a fait naî-
tre. Règle à laquelle font exception ces fêtes d'es-
claves, imposées, dominées par les hôtesses professionnelles qui ne sont rien autre que des ogresses.
Ce ne sont d'ailleurs pas des fêtes, que les leurs,
ce sont des actes, des démonstrations, sans la moindre spontanéité, sans ombre d'intérêt...

Chacun sans doute, dans la Rue de la Sardine,
s'était d'avance imaginé la fête : l'arrivée, les féli-
citations, les invités qui s'interpellaient, le bruit,
l'amusement... Cela ne commença pas du tout de
la sorte. Sur le coup de huit heures, Mack et les
gars, lavés, peignés, bonbonne en main, et for-
mant un peloton serré, prenaient le sentier des
poulets, traversaient la voie de chemin de fer,
tout le terrain jusqu'à la Rue, et ils escaladaient
les marches du Laboratoire Biologique de l'Ouest.
Aucun d'eux ne se sentait dans ses petits souliers.
Doc se tenait dans l'embrasure de la porte. Mack

y alla de son petit discours : « Ce jour étant votre anniversaire, moi et les gars, on s'est dit qu'on viendrait vous souhaiter un bon anniversaire, et vous dire qu'on avait vingt et un chats, et qu'on vous les donnait, comme cadeau. »

Le discours était terminé ; derrière lui, sur le palier, se tenaient les gars, mal à leur aise.

« Mais, entrez donc ! invita Doc. Eh bien... eh bien ! en voilà une surprise ! Mais comment avez-vous pu deviner que c'était mon anniversaire ?

— Rien que des chats mâles, ajouta Hazel. Seulement, on n'a pas pu les apporter... »

Ils s'assirent cérémonieusement dans la pièce. Il y eut un assez long silence. « Alors, dit Doc, puisque vous êtes ici, vous allez prendre quelque chose ?

— On a apporté ce qu'y faut ! » Mack désigna du doigt les trois bonbonnes rapportées par Eddie : « Cette fois, j'y ai pas mis de bière », spécifia Eddie.

Doc surmonta ce qui lui restait de mélancolie :

« Non, pas du tout, c'est avec moi que vous allez boire ! Cela tombe bien : je viens justement de faire rentrer un peu de whisky... »

Toujours en posture de cérémonie, ils sirotaient délicatement le whisky, quand le peloton des filles, Dora en tête, fit son entrée. Elles présentèrent le couvre-pieds, Doc le déposa sur le lit ; il faisait un effet superbe. Elles acceptèrent volontiers de prendre un petit quelque chose. Monsieur et madame Malloy survenaient, apportant leurs cadeaux.

« Les gens ne peuvent pas se faire une idée de ce qu'un machin comme ça vaudra, plus tard ! » déclara Sam en étalant le pignon de renvoi de la Chalmers 1916. « Il en reste peut-êt' pas trois comme ça dans le monde entier ! »

Presque tous à la fois, les invités se succédaient.

C'était Henry, portant une pelote à épingles d'un mètre sur un mètre vingt-cinq. Il entamait un grand laïus sur cette nouvelle forme d'art, mais l'arrivée de Monsieur et de madame Gay lui coupa son effet. Lee Chong offrait à Doc son immense chapelet de pétards long de trente mètres et un plein cabas de bulbes de lis de Chine. Vers onze heures du soir, quelqu'un devait manger les bulbes ; les pétards durèrent plus longtemps. C'était maintenant le tour d'un groupe de clients de *La Ida*, on ne remettait pas très bien leur figure...

La raideur du début s'était assez vite effacée. Assise dans une espèce de trône, ses cheveux orange flamboyant, Dora tenait délicatement son verre en main, en levant le petit doigt en l'air ; elle ne cessait d'ailleurs de surveiller les petites pour voir si elles se tenaient convenablement. Doc avait mis des disques de danse sur le plateau, et il s'était rendu à la cuisine pour mettre les steaks à la poêle.

La première bataille ne fut au fond qu'une escarmouche. L'un des clients de *La Ida* avait fait une proposition immorale à l'une des petites de chez Dora : elle le remit sévèrement en place. Mack sentit qu'il était de son devoir de le jeter proprement dehors, mais lestement, et sans la moindre casse. La chose, d'ailleurs, avait purifié l'atmosphère : on se sentait bien, on se sentait mieux.

Dans la cuisine, Doc surveillait minutieusement ses trois poêles de steaks, coupait les tomates en petites tranches, et empilait les tranches de pain. Lui aussi se sentait très bien. Mack s'occupait personnellement du phonographe et ne laissait approcher personne. Quelques couples dansaient déjà ; franchement, la fête s'annonçait bien, elle prenait de la profondeur et s'étalait en force. Eddie, dans le bureau de Doc, faisait une exhibition de cla-

quettes ; quant à Doc, il avait pris une bouteille
avec lui, dans la cuisine, et de temps en temps,
au-dessus des tomates et des steaks, il avalait une
lampée, à même la bouteille. Il était de plus en
plus heureux. Lorsqu'il amena les steaks, ce fut
une surprise générale. Personne n'avait faim, mais
les assiettes furent nettoyées en un rien de temps,
et la béatitude pesante des digestions, toujours un
peu mélancolique, régna dans l'assemblée. On avait
fini le whisky, Doc apporta les bonbonnes de vin.

« Doc, supplia Dora du fond de son trône, si
vous nous mettiez cette belle musique, vous savez !
Mon Dieu, j'en ai tellement plein le dos, de ce sacré
piano mécanique !... »

Doc sortit un album de Monteverdi, et fit jouer
Ardo et Amor. Les regards se tournaient en dedans,
se perdaient dans le vague ; Dora aspirait la Beauté
à pleins poumons. Deux nouveaux venus grim-
pèrent l'escalier et entrèrent sur la pointe des
pieds. Quand la musique s'arrêta, le silence dura
quelque temps. Doc prit un livre, sur l'une des étagères, et se mit à lire, d'une voix claire, profonde :

Même à présent,
Quand je vois en mon âme surgir ma belle aux seins
[dorés,
Toujours dorés, lorsque apparaît sa face d'astre,
Et son corps flamboyant
Transpercé des feux de l'amour,
Quand je vois celle que j'ai choisie pour ses jeunes
[années,
Mon cœur bat, saignant, sous la neige.

Même à présent,
Si ma belle aux yeux de lotus revenait vers moi,
Lourde d'amour,

Je lui tendrais comme autrefois ces bras avides,
Et je serais comme une abeille étourdie de miel
Pillant le calice d'un nénuphar.

Même à présent,
Si je la voyais étendue, les yeux ouverts
Et la joue enflammée, se retournant sur son flanc pâle
Et m'appelant,
Mon amour serait une guirlande
Et la nuit nous embrasserait,
Telle un amant aux cheveux noirs baisant la poi-
[trine du jour.

Même à présent,
Que mes yeux vides me font voir, ah! me font voir
Tous les visages de mon enfant perdue. O cercles d'or,
Qui caressez les joues des fleurs de magnolias,
Et vous, blancheurs, suaves blancheurs
Où mes lèvres savaient écrire
Des stances de baisers que jamais elles n'écriront plus,

Même à présent,
Que la mort me lance le battement des paupières bis-
[trées
Sur des yeux égarés, et la pitié de son corps svelte
Que la joie brisait,
Les petites fleurs rouges de ses seins
Qui palpitaient entre les voiles, pour mes délices,
Les lèvres écarlates, où quelque jour j'ai mis mon
[sceau,
Pour ma désolation,

Même à présent,
Qu'ils ont évoqué sa faiblesse, sur les places et les mar-
[chés,
Faiblesse si ardente à m'aimer,

Que les petits hommes qui vendent pour or et pour
                                              [argent
Se frottent les yeux, mais que nul Prince de la Mer
Ne l'a menée vers son lit infâme. Ma petite fille soli-
                                              [taire,
Tu t'accrochais à moi comme le vêtement à l'épaule. O
                                              [mon enfant.

                    Même à présent,
J'adore encore les yeux noirs, caressants et soyeux,
Tristes toujours, tristes encore, et les yeux rieurs
Dont les paupières abaissées étendaient une ombre si
                                              [douce
            Que c'était un autre regard,
La bouche fraîche, je l'aime encore, ah! le parfum de
                                              [cette bouche,
Les cheveux bouclés, plus subtils que de la fumée,
Les doigts légers, et le rire vert des gemmes vertes.

                    Même à présent,
Je me souviens que tu répondais doucement,
Et que nous ne faisions qu'une âme, ta main posée
                                              [sur mes cheveux,
Et ta lèvre m'apporte un souvenir brûlant :
J'ai vu les prêtresses de Rati aimer sous la clarté de
                                              [la lune,
Je les ai vues entrer dans le temple à la lampe d'or,
Se coucher n'importe où, et s'endormir [1].

Phyllis Mae pleurait sans vergogne, lorsque Doc
referma le livre ; Dora elle-même s'essuya les yeux.
Par la seule vibration des mots, Hazel était entré
en transes. Une sorte de tristesse universelle, assez

---

1. *Nénuphars noirs* traduit du sanscrit en anglais par
E. Powys Mathers

subtile, s'était appesantie dans tous les cœurs, chacun se rappelait un amour effacé, ou quelque appel mal entendu...

« Ça, au moins, c'est joli! remarqua Mack. Ça me rappelle une femme... » Il s'arrêta. On servit du vin à la ronde, tout était calme, la fête glissait vers une douce mélancolie! Eddie passa dans le bureau, exécuta une petite danse de claquettes, et revint s'asseoir. Le sommeil allait gagner tout le monde, lorsqu'un fracassant bruit de pas fit retentir l'escalier ; une grosse voix s'éleva : « Les filles! Où sont les filles! »

Mack se leva d'un bond, allégrement et traversa vivement la pièce. La figure de Jones, celle de Hughie s'étaient illuminées : « De quelles filles voulez-vous parler? interrogea Mack d'une voix douce.

— Ben quoi, c'est pas un bordel? Le chauffeur m'a dit qu'y avait un bordel, par ici...

— Monsieur, vous vous êtes trompé! La voix de Mack vibrait de gaieté.

— Ça va! Où c'est qu'elles sont ici, les filles! »

On ne sait pas très bien comment la bataille commença. C'étaient les hommes de l'équipage du San Pedro, des durs, des sages, de joyeux lurons. Les petites de chez Dora avaient enlevé chacune une chaussure et la tenaient par le talon. Lorsque la bataille fit rage, elles visèrent la tête des hommes et allez! un bon coup de talon! Dora avait bondi vers la cuisine et en était revenue en brandissant une poêle à frire. Doc lui-même jubilait, il agitait dans l'air le pignon de renvoi de la Chalmers 1916...

Ce fut une bataille épique. Hazel, les quatre fers en l'air, avait dû essuyer deux bons coups de pied dans la figure avant de pouvoir se relever. Acculés dans un coin, les intrus se défendaient à l'aide de dictionnaires qu'ils avaient pris sur les rayons. On était arrivé, petit à petit, à les sortir ; les deux fenêtres de la façade avaient déjà tous leurs carreaux cassés.

Soudain, Alfred fit irruption, il avait entendu le chambard ; il attaqua donc par derrière, avec son arme favorite : une raquette. La mêlée s'épaissit un peu dans l'escalier, elle se poursuivit dans la rue et sur le terrain vague. Tout comme la dernière fois, on voyait pendre la porte du devant, accrochée à un gond. Doc avait sa chemise déchirée, le sang sortait d'une éraflure qu'il avait reçue à l'épaule ; l'ennemi avait été repoussé jusqu'au milieu du terrain vague ; soudain les sirènes retentirent. A peine si la fête d'anniversaire de Doc eut le temps d'opérer sa retraite vers le Laboratoire, de se barricader derrière la porte fiévreusement rafistolée, d'éteindre les lumières : le car de police était déjà là. Les flics ne trouvèrent absolument rien. Les invités étaient assis dans le noir, gigotant joyeusement, et se versant des rasades de vin. C'était le tour d'une équipe fraîche, au *Drapeau de l'Ours*, le nouveau contingent était en forme, la mêlée ne connut plus de bornes. La fête allait vraiment son train, elle se lançait. Les flics étaient revenus, ils avaient hésité quelques instants, puis ils s'étaient mis de la partie. Mack et les gars avaient sauté dans le car de police, pour aller chercher un peu de vin chez Jimmy Brucia qu'ils avaient ramené avec eux.

D'un bout à l'autre de la Rue de la Sardine, on entendait le grondement de la fête qui déployait vraiment les meilleures vertus de l'émeute, des grandes nuits sur les barricades. L'équipage du San Pedro était venu faire sa soumission et se mêlait aux joyeux fêtards ; c'était à qui les embrasserait, les cajolerait. A quelque cent mètres de là, une femme, qui ne pouvait pas dormir, essaya d'appeler la police pour se plaindre du bruit ; la police ne répondait pas. On retrouva d'ailleurs par la suite le car de police sur la plage. Assis sur une table, jambes repliées, Doc souriait en se tapotant gentiment les genoux. Mack et Phyllis se tenaient enlacés, à même le plancher, dans une curieuse posture hindoue, la brise marine soufflait doucement à travers les carreaux cassés ; ce fut alors que quelqu'un mit le feu au chapelet de pétards.

XXXI

Un beau jeune homme d'écureuil-fouisseur [1] venait de prendre ses quartiers parmi les herbes folles, dans le terrain vague. Résidence idéale. Les hautes herbes formaient un magnifique fourré vert ; la terre, un écureuil-fouisseur n'en pouvait rêver de plus parfaite. Douce, noire, plastique, ce n'était pas de ces terres qui s'émiettent, ou qui s'effondrent, lorsqu'on y creuse un trou. L'écureuil était gros et gras, il avait constamment les joues pleines de nourriture, ses petites oreilles étaient nettes, et bien dressées, et ses yeux aussi noirs mais guère plus gros que des têtes d'épingle comme on en faisait dans le temps. Ses pattes de devant étaient puissantes, son dos d'un brun lustré, les poils de sa poitrine incroyablement doux, ses dents longues, jaunes, recourbées, mais sa queue était plutôt petites, Tout bien compté, c'était un très bel écureuil, en pleine force de l'âge.

Ayant inspecté le terrain, il le trouva fort à son

1. Variété d'écureuil dont le nom « Gopher », donné par des pionniers français, s'applique à différentes espèces qu'on trouve principalement au Canada, en Illinois, dans le Mississipi et le Missouri, et qui ont comme caractéristique commune celle de creuser des galeries souterraines.

gré, et décida de s'installer sur un petit monticule d'où il pourrait avoir une vue panoramique des alentours, sans manquer les camions qui se dirigeaient vers la Rue de la Sardine. De son logis, il pouvait surveiller les pieds de Mack et des gars, lorsqu'ils traversaient le terrain pour rentrer au Palace. Comme il préparait son terrier, il s'aperçut que la terre était meilleure encore qu'il ne l'avait d'abord imaginé, car des rochers assez volumineux y étaient enfouis. Jamais il ne pourrait trouver meilleur endroit pour se retirer sur ses vieux jours — surtout pour y élever une famille : le logis pouvait s'agrandir dans toutes les directions.

Quelle merveille, ces heures matinales! Les herbes filtraient une lumière verte, les rayons du soleil levant éclairaient l'entrée du logis et le réchauffaient, il n'avait qu'à se laisser aller pour savourer son intime confort.

Lorsqu'il eut creusé sa grande salle et ses quatre sorties, puis la pièce à l'abri de l'eau, il se mit à faire ses réserves. Il choisissait soigneusement graines et faînes, les empilait dans la grande salle, appliquait les vieilles recettes pour les empêcher d'aigrir ou de fermenter. En vérité, cet endroit était idéal. Pas de jardins aux alentours ; partant, pas de pièges. Les chats, bien sûr, étaient nombreux, mais si abondamment gavés de têtes de poissons et d'arêtes, qu'ils avaient renoncé à la chasse. Le terrain contenait assez de sable pour permettre l'écoulement des eaux ; l'écureuil travaillait, travaillait sans cesse, amoncelait la nourriture, préparait les abris pour les bébés : il y en aurait peut-être des milliers, répandus par toute la contrée d'ici quelques années...

Mais le temps passait, et l'animal s'impatientait. Pas de femelle à l'horizon! Le matin, il se tenait assis à l'entrée du terrier, lançant de subtils appels que nulle oreille humaine n'aurait pu percevoir, mais que la terre recueillait et transmettait à ses pareils. Nulle demoiselle ne répondait. N'en pouvant plus, il traversa le petit sentier, et découvrit un autre trou. Il s'approcha de l'ouverture, lança un provocant appel. Il entendit du bruit, flaira l'odeur de la femelle, et vit sortir un vieux de la vieille, un énorme écureuil qui se jeta sur lui en le mordant si cruellement qu'il détala, et dut rester trois jours au repos, car il avait perdu deux griffes dans la bataille.

Puis il reprit son poste et multiplia les appels, mais comme aucune âme sœur ne répondait, il lui fallut déménager, hélas, et s'installer beaucoup plus haut, dans un jardin planté de dahlias, où l'on posait des pièges toutes les nuits.

XXXII

Doc s'éveilla lentement et lourdement, comme un gros homme qui sort de l'eau. Son esprit remontait à la surface, puis retombait... et ainsi plusieurs fois de suite. Il avait gardé sur sa barbe de nombreuses traces de rouge à lèvres. Il ouvrit seulement un œil, entrevit les tons agressifs du couvre-pieds, et referma rapidement l'œil. Puis, il ouvrit les yeux pour tout de bon. Son regard glissait du couvre-pieds vers le plancher, où gisait une assiette cassée, des verres renversés, où s'étalaient des flaques de vin, et des livres éparpillés comme des papillons morts. Une odeur de pétards flottait dans l'air, des débris de papier rouge gaufré étaient disséminés partout, ainsi que des bouts de cigarettes écrasés. La porte de la cuisine, grande ouverte, lui laissait entrevoir les assiettes empilées et les poêles graisseuses. Sa narine frémit : cela ne sentait pas seulement le pétard, mais aussi le vin, le whisky et le parfum. Un petit tas d'épingles à cheveux était resté au milieu de la pièce.

Il se retourna péniblement, se souleva sur un coude, contempla les carreaux cassés. La rue était ensoleillée, paisible. La porte de la chaudière était ouverte, celle du Palace était fermée. Toutes portes closes au *Drapeau de l'Ours* ; un homme étendu dans le terrain avait trouvé le sommeil du juste.

Doc se leva. En route pour le cabinet de toilette, il pénétra dans la cuisine et alluma le chauffe-eau à gaz. Puis il revint, s'assit sur le bord de son lit, et se massa les talons tout en contemplant le dommage. Là-haut, sur la colline, les cloches sonnaient. Dès que le chauffe-eau se mit à ronfler, il retourna dans la salle de bains, prit une douche, enfila un pantalon de toile bleue et une chemise de flanelle. La boutique de Lee Chong était fermée, Lee, l'ayant aperçu, vint cependant lui ouvrir la porte, se dirigea vers sa glacière et lui tendit un quart de bière sans que Doc eût proféré un mot.

« On s'est bien amusés? » demanda Lee.

Ses yeux bruns étaient bordés de rouge.

« Bien amusés! » répondit Doc, et il revint vers le Laboratoire en portant sa bière glacée.

Il se fit un sandwich beurré, qu'il mangea en buvant sa bière. Toujours ce calme dans la rue, personne. Une douce musique de violes et de violoncelles résonnait dans la tête de Doc. Suave et froide, et apaisante en même temps... Lorsqu'il fut restauré, il retourna à la cuisine, lava à l'eau de savon les assiettes empâtées de graisse, prépara pour les verres une pleine bassine d'eau mousseuse. Puis il ouvrit la porte de la chambre du fond, et revint portant les albums de sa chère musique grégorienne. Sur le plateau tournant, il posa un *Pater Noster* et un *Agnus Dei*. Les voix angéliques, désincarnées, emplissaient le Laboratoire, incroyablement douces et pures. Le disque terminé, il ramassa un livre qui gisait à terre et s'assit sur son lit. Il l'ouvrit, et se mit à lire en remuant faiblement les lèvres, puis à voix haute, en faisant une pause à chaque ligne.

Même à présent,
Lassé d'entendre deviser les sages de la Tour,
Qui méditent sur leur jeunesse, quand je les écoute,
Je cherche en vain le sel des soupirs de ma belle,
Murmure de confuses couleurs sur lequel nous nous
[*endormions,*
Petits mots sages, petits mots drôles,
Murmure argenté d'un ruisseau.

L'eau mousseuse qui remplissait la bassine à vaisselle s'était refroidie, bruissant imperceptiblement. C'était jour de grande marée, la mer battait le pilotis, les vagues submergeaient des rochers, restés à sec depuis longtemps.

Même à présent,
Lassé des cyprès et des roses,
Des montagnes bleues, des collines grises,
De la musique de la mer, je pense aux jours
Où scintillaient des yeux étranges, où des mains se
[*posaient sur moi,*
Comme des papillons, quand l'alouette chantait dans
[*le thym,*
Et que les enfants foulaient en riant l'eau des ruis-
[*seaux.*

Doc referma le livre. Il entendait les vagues battre à grands coups les piliers de ciment, et les rats tournoyer autour des barreaux de leur cage. Il retourna dans la cuisine, tâta l'eau refroidie dans la bassine, y fit couler l'eau chaude. Alors, il se mit à parler aux rats, à l'eau mousseuse, et à lui-même :

Même à présent,
Je sais que j'ai goûté la haute saveur de cette vie,

Que j'ai vidé les vertes coupes, au grand festin.
      A peine le temps d'une vie,
J'ai entrevu ma bien-aimée. Et j'ai vu son corps
                                              [déployer
      Le flot de l'éternelle lumière.

Il s'essuya les yeux du revers de la main. Les
rats blancs tournoyaient dans la cage. Derrière le
panneau de verre, les serpents enroulés reposaient,
fixant l'espace de leurs méchants yeux sans regard.

DU MÊME AUTEUR

Aux Éditions Gallimard

DES SOURIS ET DES HOMMES, *récit.*

EN UN COMBAT DOUTEUX, *roman.*

LA GRANDE VALLÉE, *nouvelles.*

LES RAISINS DE LA COLÈRE, *récit.*

LES PÂTURAGES DU CIEL, *roman.*

LES NAUFRAGÉS DE L'AUTOCAR, *roman.*

JOURNAL RUSSE.

LA PERLE, *roman.*

AU DIEU INCONNU, *roman.*

LA COUPE D'OR, *roman.*

LE PONEY ROUGE, *nouvelle.*

Aux Éditions Denoël

TORTILLA FLAT.

Chez d'autres éditeurs

À L'EST D'EDEN.

TENDRE JEUDI.

COLLECTION FOLIO

Dernières parutions

Impression Bussière Camedan Imprimeries
à Saint-Amand (Cher),
le 10 mai 1996.
Dépôt légal : mai 1996.
1er dépôt légal dans la collection : mars 1974.
Numéro d'imprimeur : 1/1115.
ISBN 2-07-036787-8./Imprimé en France.